U0144358

A Girl Walks into a Wedding

愛的69種玩法 II

抉擇

HELENA S. PAIGE
海倫娜・佩姬 著　朱立雅 譯

《愛的69種玩法》系列三部曲為互動式小說，全書不止一個結局，
讀者可以隨著情節發展，與女主角一起為接下來的浪漫約會進行選擇。
每一個選擇都會導向完全不同的故事，
讀者將發現：「選擇」帶來比閱讀小說本身更多的驚喜。

每個女人都知道，伴娘禮服就是魔鬼的祕密陰謀。無論妳的摯友、姊妹或表親如何保證她絕對不會把妳打扮成「在夜店狂歡的科學怪人新娘」，但當妳走上紅毯時，身上仍可能裹了一塊沙發布，那種顏色會讓妳看起來像是得了黃疸病。

但妳今天並沒有那種「伴娘禮服試穿前恐慌」的症狀。貞恩是妳這輩子認識最久的老友，妳知道她絕不希望妳穿得像隻異形。妳看過圖片，知道她心目中的伴娘應該穿什麼：一件品味出眾、色彩順眼的深藍綢緞吊帶裙。

「要來點香檳嗎？」手上端著酒杯的店員問，杯裡的氣泡爭先恐後地竄上杯口。

「好的，麻煩你。」茜茜回答。她是貞恩的姊姊，也是伴娘，從妳身邊冒出來取走一杯酒。茜茜熱愛婚禮。事實上，身為一位婚禮企畫，她就是靠婚禮吃飯的。妳有點擔心她那種怪獸新娘般歇斯底里又頤指氣使的態度會過度影響貞恩，畢竟大部分由她負責的活動會讓剛舉行過的皇家婚禮像是小倆口私奔後衝進小酒吧豪飲的鬧劇。但妳必須承認，她真的很會規畫活動。

「妳看過貞恩的禮服了沒？」妳坐進一張豪華扶手椅，開口詢問，背後是落地鏡牆和可用來欣賞禮服展示的小舞台。

「還沒！但我可以等。」茜茜說，她兩眼發光，在妳身旁的椅子坐下。「等貞恩告訴妳關於我對伴娘禮服的想法之後，妳一定會興奮死的！」

這聽起來是個警訊。妳正想多探聽些細節，貞恩就從更衣室裡走了出來，身後拖著山一樣高聳的布料，婚紗店老闆正忙著整理那一長串裙襬。

「噢，我的老天，貞恩！」妳嚷。

如果禮服美得驚人，請翻至第5頁。

如果禮服醜得離譜，請翻至第7頁。

禮服美得驚人

妳倒吸一口氣。她看起來漂亮極了。禮服是白色的，身為她最好的姊妹淘，妳心知那設計似乎稍嫌誇張，但這畢竟是她的婚禮，就讓她穿吧。

禮服採用雞心領剪裁，上半身以精緻蕾絲馬甲搭配蕾絲衣袖，在她踏上小舞台時，鏡牆映照出緊貼著背脊一路而下、數量至少有兩打的小小絲質鈕釦。

妳無法相信自己最好的朋友就要結婚了。妳們一起上幼稚園，一起念小學，一起度過青春期，讀同一所高中，一起和各自的初戀男友約會，陪著對方度過第一次失戀，現在她就要進入人生的下一個階段，但不再有妳相伴。

妳為她開心至極，當然，湯姆人也不錯。妳想要全心分享她的快樂，但又忍不住有點自憐。其實妳不急著結婚，但只是希望不要有這種被她遺棄的感覺。

「妳覺得怎麼樣？」貞恩問，稍稍向兩側轉動身子，展現出整件婚紗的美。

「美到無話可說。」妳回答。

茜茜站了起來，繞著貞恩打轉，拉扯著蓬亂的長長裙襬，就像一團拖在她身後的奶油糊。

「妳會是最美麗的新娘，貞恩。」她說。

妳點頭，喉間哽著一個硬塊。

「好啦，小姐，現在換妳們了。」貞恩說。

去看看妳的伴娘禮服，請翻至第14頁。

禮服醜得離譜

妳屏住呼吸。她看起來既醜又怪。

禮服的顏色是冰河白。白得讓妳覺得刺眼，但設計本身才是問題所在。

這件禮服的皺褶、荷葉邊和墊肩比整季〈朝代〉影集[1]劇中的服裝更多。領口開得非常低，直達兩乳之間，中間以白色蕾絲網布連接。上半身做為造型裝飾的大朵白色皺紗看起來就像是失敗的幼稚園美勞作業，裙子則是詭異的長度，比長裙短一點，但又比短裙長一些。

「妳看起來真是美極了！這是我看過最漂亮的婚紗！」茜茜熱情地述說。

妳瞟了茜茜一眼，想知道她是不是在說謊，但如果她是，那還真有一套。貞恩滿懷期待地看向妳。

1 〈朝代〉（Dynesty），八〇年代熱門美國影集，描述豪門世家內的愛恨情仇。

對貞恩說實話，請翻至第9頁。
撒個謊騙她，請翻至第12頁。

妳對貞恩說實話

「怎麼樣？妳覺得如何？」貞恩的笑容漸漸消失。

妳抓起一杯香檳大口喝下。氣泡讓妳一時結巴起來，但至少妳為自己爭取到一點時間。

「我……我不確定白色是不是最適合妳的顏色。」妳努力把話說完。

「白色不是色彩，它只是一種色調。」婚紗店老闆哼了一聲，像條鯊魚般鬼鬼祟祟地靠過來。

「所以是顏色的問題？」貞恩說。她轉向老闆。「這件有淺粉紅色的嗎？或是珊瑚紅？」

粉紅色？珊瑚紅？那會更恐怖吧。「呃……事實上，再仔細想想，不是顏色的問題，是款式，」妳說，「妳身材這麼棒，貞恩，我不認為這件禮服能展現出妳的優點。」

「但我已經來過七次了，起碼試過幾百件這鬼東西。妳可以再說詳細一點嗎？」

妳又吞下一大口香檳。「可能是……荷葉邊實在有一點怪。」

貞恩轉過身盯著落地鏡看。「妳不喜歡嗎？妳的實話對我很重要。」

「真的？」

「當然啊。妳是我認識最久的朋友。我可以接受的。」

茜茜對妳比了個割喉嚨的手勢，老闆與端著香檳的店員正一臉驚恐地盯著妳。大家都在等。

「好吧。聽我說，貞恩，這樣講可能不太好聽，但是……」妳喝光香檳酒，深深吸了口氣，她是妳最好的朋友，她應該要知道真相。「超恐怖的，簡直令人作嘔，妳看起來就像穿了件訂做的尿布。」

現場因震驚而沉默。

貞恩瞪著妳。「妳怎麼可以這麼說？」

可能妳應該婉轉一點？該死的香檳酒。「對不起。我原本不是打算這麼說的。」

「妳在嫉妒？對吧？因為我找到心愛的人而妳沒有？」

這想法是哪來的？妳可以感覺空中瀰漫著一股山雨欲來的氣氛。「嫉妒？才不是！這樣講不公平。妳問我的意見，我就告訴妳啦。」

「接下來妳就會說我不應該嫁給湯姆！」

事實上，妳對貞恩的未婚夫湯姆確實存疑，妳不知道他是否就是最適合她的男人，但同一天丟出兩個誠實炸彈似乎不是什麼好主意。

貞恩眼裡閃著淚光。她繼續盯著鏡中的自己，其他人大氣也不敢出。妳交抱雙臂，不斷自我反省，但她忽然爆出一陣大笑。「我看起來就像得了精神分裂症的迪士尼公主，對不對？」

「或是爆炸的蛋白糖霜工廠。」妳跟著補一句。

貞恩咯咯笑。「我在想什麼啊？」

「唔，我喜歡啊！」茜茜表示抗議，但貞恩這次難得沒有理她。

「類似這種款式如何？」妳說，走向禮服吊架，拉出一件復古風的柔亮象牙白絲質禮服。「我之前就看到這件了，我想妳穿起來一定很美。」

「好漂亮喔。」貞恩說，隨即和老闆再次消失在更衣室的布簾後面，妳和茜茜繼續等待。

貞恩再次出場——妳和茜茜同時驚呼出聲。

真是光采奪目。太完美了。仿二〇年代的簡潔時髦設計重現了《大亨小傳》書中的迷人時尚，看起來就像是專為貞恩苗條的身段所打造的。

「謝謝妳救了我。好囉，現在換妳了。」貞恩對妳說。

去看看妳的伴娘禮服，請翻至第14頁。

妳撒了謊

妳怎麼能對貞恩說實話？妳心知肚明她試過多少件禮服，花了多少個月苦苦研究知名品牌Vera Wang的禮服目錄與訂製禮服網站的差異。或許加上了髮型和化妝之後，這件婚紗看起來就不會這麼恐怖。

「它……嗯……美得令人震驚。」妳的聲音連自己聽起來都很假。妳從來就不是個厲害的騙子。

貞恩蹙起雙眉，仔細地打量鏡中的自己。「真的？」

「嗯嗯嗯。」妳拿起一杯香檳大口喝下。

茜茜點頭表示同意，一臉讚許。一個婚禮企畫的品味竟然如此嚇人，實在令人費解。

「妳不覺得太複雜了嗎？」貞恩問。

「呃，可能有一點？」妳破音了。

「妳剛才是說美得令人震驚？」

公平地說，這件禮服會讓所有具備品味的人震驚不已。妳咬著舌頭不出聲。

「噢，老天，我看起來就像蛋白糖霜和棉被在角力。」貞恩哀嚎起來。她轉身面向妳。
「我真不敢相信妳打算讓我穿這件畸形的鬼東西！」
「呃……我最後還是會告訴妳的啊。剛才妳讓我措手不及。」
「我現在該怎麼辦？」
婚紗店老闆果然會做生意，早有準備。她拿出一件優雅的復古婚紗，搭配著細緻的刺繡裝飾。「或許小姐想試試看這種款式？」
貞恩白了妳一眼，消失在布簾後面。
但當她再次出現，就真的是美到令人嘆為觀止，這次妳的讚美完全出自真心。她在妳面前轉個圈，妳從她臉上看出來妳們已前嫌盡釋。
「現在換妳啦。」她宣布。

去看看妳的伴娘禮服，請翻至第14頁。

妳第一次看到自己的伴娘禮服

另一位店員拿著兩個超大衣物袋出現，將它們掛在試穿區旁邊的桿子上。

「妳一定會愛死的！」茜茜興奮得聲音打顫。

妳偷瞄一眼衣物袋內的禮服，強烈懷疑茜茜和妳的喜好之間隔了一個峽谷那麼遠。

「我之前給妳看過一些參考圖，幾個月前幫妳量尺寸時也討論過藍色絲綢，但茜茜和我在挑桌巾的時候發現，這塊美麗的布料可以讓整體造型更出色。」貞恩說。

「妳是說我們的禮服要用桌巾布來做？」妳試著控制一下自己。

「還有餐巾！」茜茜歡呼。「這是不是很天才？所有一線名流都是這麼做的。」她急匆匆地抓起禮服，衝進其中一間更衣室去。

妳竭盡全力不想讓貞恩失望，只好拿起妳那件禮服，刻意壓下大難臨頭的預感。一走進更衣隔間，妳便將禮服拿出來掛好，退後一步打量它。它看起來不怎麼樣，但也許穿起來不會那麼難看，妳想。妳心中依然有著希望的種子。

妳脫到只剩內衣，但還穿著妳的球鞋，接著小心地跨進那堆厚重的衣料中。妳抓著袖子和禮服奮戰，用力拉上大腿和臀部。衣服很緊，妳必須縮小腹、原地上下跳，才能穿得進去。還好妳的手臂能塞進袖子裡，也能伸到背後拉拉鍊，但拉到一半就卡住了。妳扭動身體想往上拉，但它就是文風不動。

妳聽到茜茜在外面叫：「我早就告訴過妳，貞恩！太完美了！」她扯開妳的布簾。「妳的看起來如何？」她問。

妳環抱雙臂，走出來審視災情。

茜茜的胸部小巧挺翹，雙腿修長，禮服穿在她身上並不會太糟，但穿在妳身上就是徹頭徹尾的災難。公主袖和扇形領讓妳看起來像擠牛奶的小妹，每次妳一呼吸，前襟那些小巧的珍珠鈕釦就會迸開幾個。再來是顏色。貞恩保證過不會讓妳穿任何類型的糖果粉紅色，但這件（茜茜堅持是杏色，但明明就像腐壞的鮭魚凝凍）簡直更糟。而最後一擊是那些小樹枝圖案，看起來宛如遭受過一場謎般的意外。經海嘯襲擊的咖哩餐廳穿這件禮服可能很適合。

店老闆和裁縫師出現在妳面前。一位幫妳把胸部塞回禮服的罩杯，另一位把禮服背後拉緊，試圖拉上拉鍊，結果卻使得上半身剩下的釦子一路迸開到妳的腰際。

「我想這件可能不太合身。」妳指出顯而易見的事實。

「我確定這件可以修改。妳們可以改吧？」貞恩轉向裁縫師，她的聲音已經到達只有怪獸新娘能夠發出的超高頻率。裁縫師一臉沒把握的樣子，但轉眼間就和店老闆在妳身邊忙碌了起來，拉扯著布料和縫線。妳繼續呆立原地，希望每位參加婚禮的賓客在宴會開始前都會短暫失明。

終於，一切結束了。妳從那件可怕的衣物中掙脫，換好原來的衣服後回到大夥身邊。

茜茜瞇起眼睛看妳。「妳還沒告訴我妳會帶誰來參加婚禮。」

「對，抱歉，我還沒決定。」妳說。

貞恩和茜茜交換了一個眼神。

「但下週末很快就到了，妳今晚可以告訴我嗎？書法家要寫桌上的名牌了。」貞恩說。

書法家？噢，天啊。這絕不是妳認識並喜愛的那個大而化之的貞恩。而妳確實也還沒決定要請誰當妳的男伴。妳還沒跟她提過史提夫。

妳是在網路上認識他的。接觸妳的網友之中，只有少數暱稱沒用上69那狂妄的數字，他正是其中之一。妳必須承認，如果妳和他一起出席，勢必會引起騷動。史提夫的俊俏長相足以讓人回頭看他看到脖子扭傷，但這也就是問題所在。在妳和他唯一的那次約會中，妳一直忙著打探這會不會是一場陷阱，幾乎沒機會好好認識他。

誠然，相較於妳最近約會的那些蠢貨，他算是巨大的進步。一口健康的牙齒，對妳說的笑話哈哈大笑，在你們看完電影去喝咖啡的時候，他給服務生的小費很慷慨（這一直都是好現象）。更棒的是，他並不躁進或貪心，夜晚結束時只留給妳一個不帶邪念卻令妳脊椎輕顫的晚安吻。他是不是好得太不真實了？

或者妳可以單獨出席。婚禮又不會因為每位賓客都沒帶伴而陷入停頓。先不管貞恩的婚前焦慮症，妳很清楚不管有沒有男伴，她只想要妳開心。茜茜關心的也只是這位男伴對飲食的要求、鞋子尺寸，以及他的個性適不適合和新娘耳聾的祖母或新郎酗酒的叔叔同席。

「我該走了，我和DJ沙林傑有約。」貞恩說。

「誰？」妳問。

「婚宴時的DJ啊。聽說他超帥的。」

「我也該去機場了，布魯諾和他女朋友今天下午會到。他好多年沒回家了。」茜茜說。

「布魯諾要帶女朋友來參加婚禮？」妳問，想起小時候貞恩和茜茜的哥哥布魯諾如何毫不留情地戲弄妳的往事。「那女的是誰啊？某個被虐狂嗎？」

貞恩大笑。「布魯諾變了啦！妳會大吃一驚的。」

「哼，記得他害我頭髮著火那次？我應該一輩子都不會原諒他。」妳說。

妳向她們道別，離開婚紗店，心情有點低落。經過那件災難禮服之後，妳需要轉換一下心情。妳發了個求救簡訊給妳朋友麗莎，她立刻回覆，答應會順路帶外賣食物和一瓶酒到妳家去。

麗莎往自己杯裡倒出最後幾滴酒，將最後一塊印度烤餅塞進嘴裡。「婚禮耶！」她驚呼，「為什麼人們老愛沒事幫自己找這種麻煩？」

妳嘆息。「那應該是妳這輩子最重要的日子吧。」

麗莎嗤之以鼻。「應該是壓力最大的日子吧。這整個產業都是婚禮企畫和花店的陰謀。」她伸手撩過她那亮粉紅色的秀髮。還好貞恩沒邀請她擔任伴娘，她和那件最新的噩夢禮服以及現場布置主題肯定格格不入。「再跟我說說這位史提夫吧。」

「沒什麼好說的，他人還不錯。」妳說。

麗莎做個鬼臉。「不錯？噁。聽起來真無趣。」麗莎討厭不錯，或者無聊。她的前女友是特技演員，身上的穿環和刺青比機車騎士聯誼會裡的還多。

妳的手機嗶了一聲，是貞恩的簡訊：「男伴選好沒？**我要知道！**」

怎麼辦？妳摯友的婚禮真的是最適合與史提夫二度約會的場合嗎？他絕對是個最佳人選；面貌英俊又彬彬有禮，帶他出席還可以阻止貞恩的親戚連番轟炸逼問妳的感情生活。但妳不確定自己是否想花整場婚禮來照顧一個妳不熟悉的傢伙，把他介紹給每個人，解釋你們是如何認識的。妳也不太想告訴所有人，你們其實只約會過一次。或許這部分妳可以模糊帶過。但更重要的是，妳真的想讓史提夫看見妳穿那件恐怖禮服的樣子嗎？那可能會讓他對妳永遠失去興趣。

或許妳還是單獨出席婚禮比較好。麗莎也是一個人去啊，先不論她對婚禮那番憤世嫉俗的言論，和她在一起實在挺有趣的。如果妳一個人去，妳大可在麗莎身邊輕鬆自在地做自己，而不用擔憂妳的男伴玩得開不開心。而且妳也無法預知會在婚禮上遇到什麼人。貞恩不是提過DJ長得很帥嗎？

如果妳打算請史提夫作妳的男伴一起參加婚禮，請翻至第20頁。

如果妳打算自己一個人參加婚禮，請翻至第157頁。

妳決定邀史提夫一起參加婚禮

妳忍不住沾沾自喜，選擇史提夫當妳的男伴絕對是個正確的決定。

現在妳正坐在復古紅色敞篷車中前往一場初夏婚禮，身邊是位迷人的男士，妳幻想中芭樂愛情電影的主演明星。妳愜意地窩在椅背中，享受著微風輕拂妳的肌膚。而且史提夫比妳記憶中更帥。高大挺拔，玉樹臨風，每次微笑時笑意都直達眼底。妳幾乎等不及想挽著他的臂彎走進酒店。貞恩的眼珠子一定會掉出來，甚至麗莎也會感到佩服。

但還有幾件瑣事讓妳煩心：妳還沒弄清楚他到底以什麼維生。他說是替企業客戶做某種培訓。但反正他有工作，周遊列國又見多識廣，而且似乎很喜歡妳。當然啦，妳對他迫不及待同意當妳的男伴，並且熱心提議開車載妳到這鄉下會場來，還是很在乎。但這些憂慮在他開著那輛炫目酷車準時停在妳家門外，並殷勤護送妳上車時，全都消失不見。他甚至幫妳準備了一條絲巾保護妳的頭髮不受風吹，當他載著妳穿過市郊時，妳感覺自己有點像是電影明星兼摩納哥王妃葛麗絲．凱莉人們對妳投來豔羨的目光。

目前為止，一切都令人滿意。

妳打過電話給婚宴會場替他多訂了一間房，那是一所豪華的鄉村莊園式酒店。但現在妳瞄一眼這位戴著墨鏡、穿著合身T恤、正駕輕就熟開著車的男伴，不禁賊賊地想著，和他同居一室不知道會是什麼狀況。

你們將車多人雜的城市遠遠拋開，史提夫設定了衛星導航，走的是風光明媚的小路，沒多久你們就穿梭在山巒起伏的狹窄鄉間車道上，矮樹叢裡開滿了花，偶爾冒出的鄉村教堂尖頂點出了山坳裡的幽谷。你們沒怎麼交談，只是心滿意足地任由美景一一掠過眼前。但這種靜謐令人感到舒適，就好像妳與他已經相識多年。

史提夫眼睛直視前方道路，一邊伸過手來，與妳十指交握。「餓嗎？」他問。

妳今早忙著準備出門，早餐跳過沒吃。在鄉間小酒館吃吃點心應該相當不錯。「吃點東西也好。」妳說。

史提夫放慢車速，停在一個小村莊的外圍道路旁。這不是舒適的鄉間小酒館。這是農田。

「我們為什麼停在這裡？」妳問。

「等著瞧。」他大步繞到車後，拿出一個野餐籃。

「你帶了東西來野餐？」

「我想這應該是個好主意。」他指著迎風搖曳的麥田中間那棵大橡樹。籬笆兩側的階梯標示出蜿蜒通往樹後小山坡的公共步道。這景色美得太不真實。妳四下張望，想找出偷偷藏匿的管弦樂團，但耳邊只聽見鳥兒啁啾和遠方隱約的耕耘機聲。

史提夫牽著妳的手，頗具騎士風度地扶妳跨過階梯。你們漫步在小徑上，兩旁柔軟的青草和蒲公英搔刮著妳光裸的腿。當你們來到樹下的空地，他攤開一張安哥拉羊毛毛毯，妳脫了鞋子坐到他身邊，看著他把野餐籃裡的東西一一拿出來。不可思議！三明治的麵包還事先去了邊。有巧克力杯子蛋糕。還有用保冷袋裝著的一瓶夏多內白酒。

「這全是你做的？」妳問。

「當然啦。」

「哇。你單身多久啦？」

他有些靦腆。「我不想操之過急。我相信如果我不封閉自己，不排斥任何的機會，適合我的女人一定會出現。我只要保持信心就好。」

他倒了杯酒給妳，自己卻只沾了一口。「我要開車。」他聳聳肩。嗯，還很有責任感呢。接著他遞給妳一個三明治，以及真正的亞麻餐巾。食物很美味，簡單的全麥麵包、奶油、多汁的烤雞，帶有一絲新鮮迷迭香香氣。妳滿足地嘆息，啜一口同樣優質的美酒。

杯子蛋糕更是讓人讚不絕口，引人墮落的黑巧克力內餡正緩緩流出。「這也是你做的？」妳舔著手指問。

「不，這我不敢居功。我家附近有間一流的糕餅舖，他們的蛋糕簡直是傳奇。我今天早上第一件事就是上門光顧。」

就在妳以為事情不可能更美好的時候，史提夫伸出手，將一朵蒲公英別在妳耳後。妳感到小腹深處傳來一陣溫暖的輕顫，向他稍微坐近了些。他沿著妳的手臂往上，輕輕撫摸妳的肩膀和脖子，手指溫柔地纏繞妳的髮絲。但他隨即抽回了手，妳一時不知所措，原來他只是將野餐用品推到旁邊。妳因為期待而打顫，鳥兒的歌聲隨著史提夫漸漸接近而淡去，心裡泛出一股甜意。妳知道你們初次的正式親吻即將發生，而且那不會令人失望。

他並不急躁，但也不遲疑，他的舌頭滑進妳口中的快感使妳融化。妳向後躺在柔軟的安哥拉羊毛毯上，雙臂繞過他的脖子，讓他跟著妳倒下，同時全心投入這個吻。這男人是接吻大師，從容不迫，雙手慢慢梳過妳的頭髮。妳感覺某個尺寸驚人的凸起部位正抵著妳的大腿，但妳克制住觸摸它的衝動，至少不是現在。

妳氣喘吁吁，任他從妳的唇吻向脖子，用鼻尖一路往下綿綿密密地磨蹭著妳，接著輕咬妳的耳垂，妳則用手指探索他背後傲人的肌肉。

他暫時停下來，抽身退開，緊盯妳的雙眼。然後將妳的洋裝一側肩帶慢慢拉下。

「讚。」妳含糊說道，雙手滑下他的背，自下襬探入他的T恤。他的皮膚很溫暖，妳用指尖畫過他的腰來到腹部，急著想知道他的六塊肌摸起來是否和看起來一樣結實。事實上沒錯。

但他在妳身上的探索使妳分心，他的嘴往下移，沿著鎖骨灑下一串輕吻，最後來到乳溝上方。他將妳的洋裝往下捲，捧起妳光裸的雙乳緩緩地逗弄，接著吻上妳的乳尖。妳感到他的手指挑開了另一側的肩帶，讓妳的胸部暴露在柔和溫暖的空氣中，享受著他的嘴帶來的歡愉。

他的手往下探入裙底，逗弄妳的腿部肌膚，指尖刷過妳的大腿內側，舌頭卻還繞著妳的一側乳尖打轉，接著換邊寵愛另一側。妳滿足地嘆息，微風拂過妳濕潤的乳尖，使妳因需要而顫抖。

接下來他撫上妳已經濕透的底褲，妳將雙腿稍微分開以便他探入。妳感覺他正沿著妳的小縫上下摩擦，不禁逸出一聲長長的低吟。他起初很輕柔，隨即慢慢用指尖透過布料加以輾揉。

一開始他只用兩根指頭，接著四根手指一起摩擦，在覆上小丘時更加用力，每次撫過都輕觸妳的小蒂。這塊滑溜的布片似乎成了阻止妳就地達到高潮的唯一障礙。

「求求你……」妳說，在他用牙齒輕咬妳的乳尖時挪動臀部。在妳要求的同時，妳感到他的手指正拉開妳的底褲，妳知道他就要徹底占有妳了，呼吸正開始不穩……

這時，突然傳來的引擎怒吼令妳雙眼大睜，一輛耕耘機轟隆隆地出現在眼前。妳不情願地離開史提夫，綁好洋裝的吊帶，拉低裙襬。史提夫輕輕幫妳拂去背上的草屑。妳很想將觀眾置之不理，畢竟妳離完全滿足就差一點點了。但妳幾乎不認識這男人，所以農夫伯伯的出現可能是件好事。誰知道如果沒人打斷，事情現在會進行到哪一步？

回到車內，妳的頭還因為那杯酒而醺醺然，身體也依然因史提夫靈巧的手指和嘴而陶醉。草地讓妳光裸的肌膚有些發癢，但妳感受到陽光和男人的親吻，暗自期望待會還有更多。想想看，妳本來還打算自己一個人來參加婚禮呢！

「想來點音樂嗎？」史提夫問。

「好呀。」妳答。

他撥弄起iPod，隨後一首八〇年代的抒情搖滾金曲開始播送。有點出乎妳的意料。

「如果妳想的話，也可以選其他歌來聽。」他對著妳大喊，喇叭正強力播放著「外國人合唱團」或「芝加哥合唱團」或「肉塊合唱團」或不知道哪個樂團的音樂，妳的耳朵痛起來。

妳捲動他的iPod。老天。有好幾張精選專輯（席琳．狄翁、珍妮佛．洛許），《手札情書》電影原聲帶，以及「西城男孩」精選輯。妳感到一股不安。難怪這男人的舉動如此浪漫，但可能太過浪漫了一點。不過，至少他聽的不是排笛音樂，對嗎？那就更糟糕了。

但現在也好不到哪去。下一首歌節拍漸漸增強，他也跟著哼唱起來。他別具深意地瞥了妳一眼，一邊還唱著「我真心想知道愛情是怎麼一回事」。鑒於他對音樂的品味這麼差，妳不確定自己是不是想給他答案。

妳遲疑地回他一笑，有點坐立不安。他只是在整妳，對吧？故意假裝自己的品味低俗。一定是這樣。幸好歌曲已經換了另外一首，他也停止哼唱。

你們一路上經過了數個鄉村莊園的高大入口拱門，風景一處美過一處，你們真的來到週末婚宴的勝地了。你們到達山頂，轉了個彎，目的地隨即以全景式的華麗畫面出現在妳面前。妳知道這場婚禮一定會很美，貞恩把茜茜在婚禮規畫這行的所有人脈全都用上了，而這簡直美得讓人屏息。

沐浴在陽光下的石造大宅，扎實的外觀看起來已有數世紀之久。道路向四面八方延伸，精心修剪的草坪直通向矮樹叢。石牆旁的一道小溪將花園和放羊的牧場分隔開來。一座造型藝術的塔樓引領視線往高處去，妳可以看到大宅後方的教堂尖塔也是用同樣的金色石塊搭建而成。隨著車子開上吱嘎作響的長長碎石車道，位於成排柳樹後方，湖面上的粼粼波光吸引了妳的注意。湖上可有天鵝？有的。

史提夫將車停在通往大宅主屋入口的樓梯前，現在這房子變成了間頂尖的高級飯店。他跳下車，繞過來幫妳開門。妳下車後伸個懶腰，往湖邊看去，享受著玫瑰的芬芳和這份寧靜。但一串孩童的尖銳噪音隨即將之毀於一旦，接著就聽到有個女人大吼。「巴黎！不准再挖妳的鼻孔！馬上停止！」

妳轉過身，看到貞恩的表姊諾伊琳和她的先生多米以及一窩孩子正迎面而來（很明顯，這對夫婦想學布萊德．彼特和安潔莉娜．裘莉自稱「布裘」一樣把自己變為「多米諾」）。「嗨！」諾伊喊了聲，一個蹣跚學步的小鬼正抱著她的腳踝。多米隨後現身，另一個孩子像猩猩似地攀在他背上。妳無法理解他們要怎麼對付這三個全都不滿七歲的孩子，而不用依靠鎮靜劑的幫忙。

諾伊停下腳步，看到史提夫時眼睛一亮。當他和多米握手致意時，諾伊向妳做了一個「哇！」的口型。妳忍不住泛起一絲得意。

「媽咪！尤達貝想去看天鵝！」

「尤達貝？」妳狐疑地問。多米諾家的孩子都取了個荒謬的名字——妳記不得那個剛才還在咬母親腳踝、現在卻猛扯諾伊洋裝的小鬼叫曼哈頓還是東京——但尤達貝這個名字實在太怪了一點，即使對這一家人而言。

「尤達貝是他們養的寵物鼠啦，小孩堅持要帶牠一起來。」多米嘆息。

話聲剛落，一隻花斑鼠就掙扎著爬上他家老大的肩膀。妳對囓齒類動物向來不具好感，但卻為這隻感到可悲，它也有多米臉上那種長期受虐的表情。

「大家都在酒吧那邊喝東西，待會見囉。」諾伊說著，和多米帶著一票孩子離開。

「妳要不要先去登記入住？我把車停到後面去，順便拿行李。」史提夫說。

妳對他甜甜一笑，但妳一轉身，他就抓住妳的手將妳拉回他身邊，雙手環著妳的腰。

「什麼，沒有道別吻嗎？」他嘀咕著，妳的輕笑隨著他吻上妳的唇化為一聲嘆息。他的舌頭再次尋找著妳的，這個吻充滿熱情，令妳幾乎窒息。妳甚至希望旁邊能有位觀眾：妳正在一個華美無雙的鄉村酒店外，倚著一輛經典敞篷車，像個五〇年代電影明星般被人親吻。沒錯，他對音樂的品味非常恐怖，但沒有人是完美的，而且他的吻技一流，還會做很棒的三明治。

終於，在深深地吻妳兩回之後，史提夫放開了妳，消失在那個低調「客用停車場」標誌的方向。妳腳步輕飄飄地踏上寬石階，走進接待櫃檯。

好吧，既然這裡是茜茜挑選的地方，妳必須修正一下妳對她品味的看法。酒店內部裝潢採用迷人的鄉村莊園風格，大量的拋光古董家具、霧面印花棉布和閃亮的銅壺，每張桌上都有以傳統風格插滿玫瑰和繡球花的陶瓷花瓶。一座落地大擺鐘滴答作響，陽光透過彩色玻璃照在腳下的波斯地毯。妳瞥到走廊盡頭有間維多利亞時代風格的酒吧，以木製嵌條和色彩濃烈的油畫裝飾，豪華的壁爐牆上還掛著一個多叉犄角的鹿頭標本。

妳向櫃檯後的接待人員報上姓名，忽然冒出一個念頭。沒人規定妳不能和史提夫共住一房啊。雖然這樣進展有點太快，但妳的膝蓋仍因剛才在外面的那個吻而輕顫，妳忍不住想要更多。但話說回來，其實妳和他也不是很熟吧？也許妳應該放慢腳步。

如果妳打算自己住，請翻至第30頁。

如果妳打算和史提夫同房，請翻至第32頁。

妳決定單獨住一間

妳決定自己一個人住。畢竟如果妳有其他安排的話，法律也沒規定妳非得睡在房裡啊！對不對？而且萬一和史提夫發展不順，至少妳還有個自己的地方住。妳跟著櫃檯人員走過一條以線板裝飾的走廊，每個角落都以固定的間隔放著古董椅和寫字檯，最後在一扇厚重的木門前停下。

櫃檯人員開了鎖，示意妳進入房間。

事情怪了，靠近門邊的椅子上掛著一件黑色T恤和一條牛仔褲。浴室門敞開，一位全身赤裸只在腰間圍條浴巾的男人吹了聲口哨。

你們四目相對了一會，妳的臉頰開始發燙。妳也很想吹口哨，這個男人絕對常健身。那一身肌肉相當養眼，健壯的手臂上還有複雜的黑色刺青。

妳身後的櫃檯人員慌亂起來，喃喃唸著房間搞錯了什麼的。

「我不介意多個室友。」刺青男說。

妳臉又紅了。

櫃檯人員不停地道歉，火速帶妳回到入口櫃檯，猛敲他的電腦。「真的很對不起，女士，但我們沒有空房了。」他看起來淚光閃閃。

選擇權似乎不在妳手上。到頭來，妳還是必須和史提夫共享一間房。

請翻至第34頁。

妳決定和史提夫同房

櫃檯人員帶妳穿過以植物圖案裝飾的走廊，引妳進入被一張白色四柱大床占據的大房間。牆上貼著水藍配白色的經典法式印花圖案壁紙。通往陽台的落地窗大開，微風吹得細棉布窗紗如浪花翻捲。妳探頭進浴室，裡面有張古典高背扶手椅，還有足以點亮一座小教堂的許多蠟燭，角落是個超大按摩浴缸。如果這還只是一般套房，妳大概無法想像新娘房會是什麼樣子。

妳謝過櫃檯人員的幫忙，緩步走向陽台，俯瞰下方規畫整齊的玫瑰花園，邊緣環繞著精心修剪的薰衣草矮樹叢。妳深吸一口令人沉醉的芳香空氣，運動一下肩膀。就這樣過一輩子也不賴。

「嘿。」一個聲音打斷了妳的冥想。隔壁陽台上有位身材高大修長、肌肉結實的男人，全身上下只在精瘦的腰間圍了條浴巾，對半裸這件事似乎十分自在。妳揮手打招呼，努力不要盯著他傲人且紋了圈刺青的二頭肌猛看。

「妳也是來參加貞恩和湯姆的婚禮吧？」他問。

妳點頭。這男人是誰？妳以為妳已經見過貞恩所有的朋友了，這男人也不是妳能輕易忘掉的類型，何況他還有那麼戲劇化的刺青以及能割開玻璃的高挺顴骨。再說他看起來也不像湯姆的朋友，那些人多半非常保守拘謹，除了麥奇，他的伴郎，一個行事瘋癲的猛男外科醫生，操守和巷子裡的野貓差不多。

「抱歉我衣衫不整。」他說。他的房間內傳來一陣手機鈴響。他嘴角微揚，秀出一口可以閃瞎人的白牙。「我最好先去接一下電話。待會再聊？」

「當然。」妳喃喃回道，接著走進房裡去。嗯哼。或許妳還是不該和史提夫當室友，尤其在附近有這種帥哥的時候。妳打給櫃檯人員，詢問妳幫史提夫額外多訂的房間怎麼樣了。在一陣喃喃低語、支吾其詞外加語焉不詳的道歉之後，他回答妳因為訂房時出了些狀況，那個多訂的房間已經有人住了。噢，好吧，妳心想。也許這是天意。

請翻至第34頁。

妳必須和史提夫同住一房

妳陷進那張四柱大床。純粹的奢華享受。妳激動又好奇地想著，不知道史提夫發現你們將要同居一室時會有什麼反應。經過在酒店外面以那種方式吻妳，妳們在田裡又共享了一段美好時光，妳極度懷疑他會對此感到失望。而且如果妳想要撒點野，這裡正是最適合的地方，妳可以在這張巨大的白色床上假裝自己躺在雪地上。

房門開了，史提夫走了進來，肩上背著妳的皮包，行李員正將他身後的超大行李箱拖進來，那箱子大概比妳的大兩倍。

史提夫給了行李員一筆豐厚的小費，接著關上門。

「我希望你不介意和我一起住。」妳說。

史提夫再次露出那迷人的笑容。妳靠向他，小腹再次出現熟悉的騷動。但他沒有更貼近妳，反而蹲了下來，拉開行李箱的拉鍊。「我們現在要去酒吧見見其他的賓客了，對嗎？」他問。

妳一愣。「對。」

「唔，在跟妳的朋友們碰面之前，我有個東西一定要秀給妳看。坐穩喔，因為這東西會讓妳大開眼界，以一種全新的方式來看這個世界——可說是創意思考的極致展現。」

這聽起來有點不妙。那個超大行李箱裡會是什麼東西？女人的衣物？激烈的性愛玩具？席琳．狄翁的屍體？

他掀開行李箱。裡面裝滿了DVD，而比恐怖還要恐怖的是，所有的封面都是打著赤膊的史提夫，戴著水銀墨鏡跨坐在一輛哈雷機車上。他拿一片給妳看。標題寫的是「沒問題，你行的，老兄！」，後面接了一句：「酷炫史提夫帶你踏上必勝之路：釋放你內心隱藏的潛力」。

呃噢。

「這樣吧，等我們見過妳的朋友們後，不如問一下酒店有沒有DVD播放器可以出借？我等不及要秀給妳看了。」他說。

妳可以感到血液正一點一滴離開妳的臉頰。他繼續說：「能有這個機會把它們分享給妳和妳的朋友們真是太棒了，寶貝兒。」

寶貝兒。他叫妳寶貝兒？雙倍的無言。

他脫去上衣，露出小麥色的腹部和壁壘分明的肌塊，正是妳稍早前摸過的那些。但六塊肌忽然變得沒那麼性感了。他拉出一件鮮黃色T恤穿上，胸口用斗大的漫畫字體寫著：「沒問題，你行的，老兄！」

太恐怖了。

「史提夫……呃，那件T恤啊，你會不會覺得有點太誇張了？」妳鼓起勇氣。

「也許妳說得對，寶貝兒。太快攻頂也不好。」他對妳一笑，換回原來那件沒那麼刺眼的上衣。「走吧？」

妳可以聽見多米諾一家人的笑聲和尖叫聲從酒吧傳來。妳很想拔腿就跑——或許妳可以偷走史提夫的車鑰匙，然後逃之夭夭。你們走過大廳，櫃檯人員對妳打個手勢。「不好意思，女士，可以跟妳說句話嗎？」他看了史提夫一眼，妳注意到他眼中掠過一絲慾望。

「我在裡面等妳。」史提夫對妳豎起兩隻大拇指，信步走進酒吧去。

櫃檯人員把視線從遠去的史提夫身上拉回來，重新聚焦在妳身上。「我不確定您是否仍有興趣，」他又再次朝史提夫的方向瞄了一眼，「但我有新的房間選擇可以提供給您。目前有半間家庭套房空出，這表示您必須與另一間臥室共用浴室——」

「我要住。」妳迅速抓起他手中的鑰匙。現在就算要妳睡在穀倉的地上妳也願意。

妳做個深呼吸，走向酒吧。史提夫已經和一位穿著深色西裝的結實壯漢、一位高瘦纖細的女人，以及一位做神父打扮的超級大帥哥聊開了。

貞恩衝過來一把抱住妳。「那就是妳的男伴？」她比了比史提夫。「他長得真帥。妳還真是一匹黑馬。」

「和他說話的是誰？」

「當然是我哥啊。」

布魯諾背對著妳，但比起妳上回看到他，他好像長高了不少，也瘦了一圈。他似乎感應到妳的視線，轉過身來向妳舉杯致意。和妳的兒時記憶一樣，他還是那種帶點邪氣的笑容和滿頭蓬鬆的黑髮。他摟著一個身材高䠷的女郎——那種會讓妳立刻自慚形穢的人。氣質優雅，秀髮閃亮，脂粉未施。她不是那種傳統的美人，但很有魅力。

「那是凱特，」貞恩說，「她人很不錯，妳會喜歡她的。另外那位是迪蘭神父。」她對那位神父招手。

「那個迪蘭神父？妳明知不可但還是偷偷暗戀多年的那一位？」

貞恩大笑。「這能怪我嗎？」

妳怪不得她。他的頭髮微亂，但是亂得很有型，眼睛周圍鑲了圈濃密的黑色睫毛，妳祖母每次都會稱之為「上帝用沾了煤灰的手指造出那對眼睛」。他臉上的線條顯示出他很愛笑，現在他正對史提夫說的不知什麼話哈哈大笑。妳希望他不是在笑史提夫這個人。

在房內另一角，被茜茜困住的麗莎正對妳擠眉弄眼，茜茜一定在鉅細靡遺地述說她那桌巾兼禮服裙的設計細節。妳對貞恩的未婚夫湯姆招手，他正和一位穿著皺卡其襯衫的男人靠在吧檯邊。麥奇，也就是伴郎先生。

「麥奇又恢復單身了。」貞恩說。妳瞪了她一眼。「別擔心啦，就算妳沒和這位帥得能讓雷恩・葛斯林[2]看起來像象人的男伴一起出現，他也知道妳不是那種會被他的彎腳搭訕技巧釣上的女孩。」

不，妳是那種會和陌生人一起出席婚禮的女孩，對方好死不死又一心想成為自我成長大師。

麥奇懶洋洋地打量著妳。若用文字來敘述，他會是那種醫院等候區免費借閱的羅曼史小說中的明星，例如一個隨無國界醫生組織周遊列國的獨行俠。但事實上，妳知道除了他那聽起來很高尚的工作之外，他其實是個無可救藥的花花公子，還有嚴重的所得稅問題。

「我該去四處串門子了，」貞恩說，「但我等不及要好好認識史提夫啦！」看來貞恩不是唯一想這麼做的人。貞恩的蘿倫阿姨，一位在六〇年代就以模特兒和前衛攝影師的身分享有盛名，有點年紀但依然風韻猶存的女人，正在高調地到處交際，黑色的長菸嘴在手中轉個不停。幾位在附近徘徊的服務生（有男有女）也靠得相當近。如果妳能把史提夫的嘴巴封起來，可能就會覺得這一切很有趣。

「又見面了。」妳轉過身，看到稍早前遇到的那位刺青男。他穿上衣服和只圍著毛巾一樣賞心悅目。「新娘還是新郎？」

「我只是客人。」妳說。

他大笑。「我的意思是，妳是女方還是男方的親友？」

「抱歉！兩邊都算吧。你呢？」

「我負責婚禮上的音樂。」

「噢！你一定就是DJ沙林傑。」貞恩說他很性感，這點完全正確。「你怎麼有空整個週末耗在這裡？」

「湯姆是我的獸醫。他過去幫了我很多忙。我養了隻老貓，牠老是得在三更半夜送急診，這是我回報湯姆的方式。當他建議我一起來度個週末，我就想，為什麼不呢？」

「你真的姓沙林傑嗎？」

「不。我在念音響工程之前讀的是英國文學碩士，當時覺得這別名應該滿酷的。妳可以叫我JD。」

他朝通往陽台的門比個手勢，外面是美不勝收的草坪和綠樹。「想出去透透氣嗎？」

---

2 美國新生代電影男星，以性感憂鬱的形象廣受全球影迷歡迎。

史提夫還在和蘿倫阿姨、布魯諾、迪蘭神父和布魯諾那位完美女友暢談著天知道什麼鬼東西。妳是否應該走過去，確保他並未試圖強迫他們接受那些關於自我成長的心理學術語？或者妳寧願自欺欺人，去和ＤＪ聊聊天？

如果妳決定和ＤＪ聊聊天，請翻至第41頁。

如果妳打算在史提夫還沒讓妳徹底丟人現眼之前，先徹底控制住他，請翻至第44頁。

妳決定和ＤＪ聊聊天

ＪＤ從經過的服務生手上拿了杯氣泡酒遞給妳，接著陪妳走向陽台。真應該拿個相框把他的臉框起來欣賞，那對唇瓣如此豐厚性感，妳很想用拇指撫過一遍。更別提他是那種連麗莎都會滿意的極品帥哥。

「所以……妳和誰一起來的？」他問。

妳恨不得隨口敷衍過去。但妳看過那些因為謊言而使主角陷入無窮麻煩的電影。「我和朋友一起來。」

「男朋友？」

「拜託，才不是。」

「有意思。」ＪＤ盯著妳的眼睛看了半晌，妳忽然有點難以承受。

「你呢？」妳總算恢復鎮定。「你有伴嗎？」

他緩緩揚起嘴角，令人想親吻的唇畔露出一個酒渦。「還沒。」

「我就猜到是妳，小臭妹。」妳身後冒出一個聲音。妳轉身，看到布魯諾帶著女友走過來。

「小臭妹？」JD挑起一道眉。

「小時候布魯諾都叫我小臭妹。」妳有點不高興。「他以前常因為把我推到牛糞堆裡去而樂不可支。」

布魯諾大笑。「妳也報仇了啊。」他對妳說。「她把我的動感超人丟進馬桶。」他對JD和凱特解釋。

凱特對妳嫣然一笑，接著自我介紹。「我們剛剛才和那位超風趣的先生聊過天。」她說。

「是喔？」妳從牙縫裡迸出這句話。妳還沒來得及解釋妳和他並不熟，一個熟悉的聲音歡叫起來：「寶貝兒！妳在這裡呀。」史提夫蹦蹦跳跳地走向妳，身後跟著蘿倫阿姨。「蘿倫說她等不及要欣賞我的DVD了。」

「DVD？」布魯諾問。

妳的臉發燙，妳把他介紹給JD，後者正困惑地看著妳。

「別問了。」妳小聲嘀咕。

JD瞄了妳和史提夫一眼，隨後託辭離開，臨走時對妳露出一個惋惜的笑容。

「你今晚會來參加單身派對嗎？」布魯諾問史提夫。「我們打算出去喝幾杯，就這樣而已。」

史提夫打個響指。「當然！嘿，我有個好建議。我很快就回來！」他一個轉身，小跑著離開。

「我們剛才就是和這傢伙聊天，我沒發現你們是一對。」凱特說。

布魯諾對妳擠眉弄眼，他真的一點也沒變。或許現在是個拯救麗莎的好時機，她還在那兒聽茜茜滔滔不絕，任何能夠讓妳順利脫身的事都好。

請翻至第46頁。

妳決定在史提夫還沒讓妳丟人現眼之前，先徹底控制住他

妳惋惜地對ＤＪ一笑，說：「不好意思。我還有事……」妳邊咕噥邊從旁接近史提夫所在的小圈圈。謝天謝地，他們在聊汽車。

「嗨，小臭妹！」布魯諾向妳打招呼。

妳按捺下以出自本能的一句「嗨，窩囊廢！」回敬的衝動。

「小臭妹？」布魯諾的女友凱特問，對妳燦然一笑。

「小時候他很愛這樣叫我，雖然老實說，他才是真正散發臭味的傢伙。」妳邊說邊握緊拳頭。

「所以，史提夫，讓我多了解你一點。你是做什麼工作的？」蘿倫阿姨膩著聲問。

「史提夫！」妳跳起來，拚死命想換個話題。「呃……或許我們可以去找個ＤＶＤ播放器？記得嗎，你有東西要給我看。」

布魯諾挑高雙眉。「ＤＶＤ？今晚單身派對最愛的那種嗎？」

「親愛的，拜託告訴我你們拍了性愛錄影帶。」蘿倫阿姨樂得雙眼一亮。迪蘭神父看起

來像是在強忍笑意。

妳的臉垮下來。「我——」

「說到單身派對，我有個絕讚的主意！」史提夫說，「寶貝兒，妳絕對會愛上它的！在這裡等我一下……」他飛快地離開了。

麗莎正在向妳招手，急切地想要妳把她從茜茜的魔掌下救出來。布魯諾在妳託辭離開，鬼鬼祟祟地打算加入她時，對妳露出一個壞心眼微笑。

請翻至第46頁。

妳準備將麗莎從茜茜身邊救走

妳加入麗莎和茜茜，後者對著妳的腦袋拋個飛吻，接著走向多米諾，兩夫婦正用嬝美太陽馬戲團表演者的技巧把烈酒、寵物鼠、幼兒和小點心在手裡耍得出神入化。布魯諾和凱特挽著彼此漫步離開，一路聊個不停。

「剛才那位從這兒狂奔而出的就是史提夫嗎？」麗莎問。「無聊的老好人史提夫？」

「沒錯。只是他也許不像妳想的那麼無聊。真可惜。妳真應該看看他行李箱裡裝了些什麼東西。」

麗莎雙眼一亮。「呼呼。聽起來挺有趣。快招了吧。」

妳正準備向她和盤托出，史提夫就衝進房內，手裡抱著一堆鮮黃色T恤。

「各位！我想今晚穿上這些再適合不過了！」他大喊，妳震驚地看著他把T恤一件件發給大家。麥奇咯咯笑，脫下自己的T恤換上這一件。看起來就很有運動家精神的湯姆也跟著照做。連迪蘭神父也拿了一件換上。

「**沒問題，你行的，老兄？**」麗莎嗤之以鼻。「這傢伙是哪位啊？」

「我也毫無頭緒。」妳說。

趁史提夫無暇分身，妳以要上洗手間為藉口，偷偷摸摸跑去自己的新房間，那個要和隔壁套房分享浴室的單人套房。

這間房比起妳原先打算和史提夫同住的那間稍微樸素些，但無所謂。妳整個人癱在床上。或許麗莎可以幫妳想想辦法，如何逃離這整個史提夫危機。那姑娘將自己從更加複雜的關係中解救出來的次數比妳吃過的晚餐還多。

妳不想太殘忍，史提夫看起來人不壞。但無論他的吻技有多好，自我成長這個東西已經足以將妳對他所有的感覺抹殺殆盡。妳應該早知道這樣的帥臉絕不會是天上掉下來的禮物。

妳現在最不想做的就是回到酒吧去躲著史提夫，搭了這麼久的車也讓妳感覺自己一身風塵僕僕，所以妳決定洗個澡讓心情好一點。

妳走進一間超大的大理石浴室，角落放著一座四腳浴缸，另一角則是個寬敞豪華的沐浴間。

如果妳想泡個澡，請翻至第48頁。
如果妳想沖個澡，請翻至第51頁。

妳決定泡個澡

妳在復古浴缸中放了水，將酒店提供的泡泡浴露倒得一滴不剩，然後開始脫衣服。妳爬進浴缸，閉上眼睛，讓熱水和茉莉花香的泡沫包圍著妳，滿足地嘆了口氣。天堂啊。

妳聽到門開啟的聲音，嚇得潑出一地水。該死，妳完全忘記鎖上連接另一間臥室的門。妳沉進水中，但也沒辦法一直閉氣。妳探出頭來，與一對深色眸子和滿頭蓬鬆黑髮面對面碰個正著。

「我就猜到是妳，小臭妹。」布魯諾說。

還好泡沫遮住了妳大部分的赤裸身軀，但它們消散得很快。

「你介意迴避一下嗎？」妳沒好氣，抓了條洗臉毛巾，用那一小塊布盡可能遮住胸前春光。

「其實我不介意耶。」布魯諾說，恬不知恥地打量妳。「畢竟妳是在我的浴室裡。」

「我們的浴室。」妳解釋弄錯房間的問題。

「但我以為妳是和男朋友一起來的？」

「他不是我男朋友。」

「真的？我想我聽過他叫妳『寶貝兒』。」

妳不是很想向兒時宿敵解釋妳和史提夫的這段短暫關係。妳努力想找出個藉口。「這是……他幫我取的綽號。呃……是因為《我不笨，所以我有話要說》。你知道，就是那部電影，有隻小豬以為自己是綿羊。」

布魯諾爆出一陣大笑。「所以妳從小臭妹進化成一隻豬了？」

「對啦。」妳不爽地說。

「唔，如果我是妳的話，就會把史提夫牢牢栓在身邊。蘿倫阿姨認為他是她這輩子見過最帥的男人。妳也知道那代表什麼意思。」

「我倒是忘了她也會來參加。至少有她出現，場子絕對不會無聊。」

「我同意。稍具姿色的服務生無人可倖免。」他坐上蓋著的馬桶座。「所以，除了收集白痴綽號之外，從我們上次見面之後，妳過得如何？」

妳簡單告訴他一些工作上的重點事跡。不知什麼原因，這樣赤身裸體地泡在浴缸裡和他分享生活瑣事，似乎再自然不過。布魯諾告訴妳他擔任情境喜劇編劇的工作，談到有位信仰科學教的一線巨星曾在他的節目裡客串演出一集，那段故事既有趣又惡劣。「所有工作人員和臨時演員都不准直視他的眼睛，而且身高超過一百七十五公分的人都必須離開現場，好讓他感覺自己高人一等。我那天當然沒得放假。身為矮冬瓜的宿命。」他說。

他難為情地一笑，這和妳童年記憶中那個傲慢無禮的布魯諾真是大相逕庭。難道他變了嗎？自大的性格隨著嬰兒肥一起消失了？妳幾乎要說出高矮大小沒有關係之類的話，但決定還是換個話題。

「談談凱特吧，你們怎麼認識的？」妳問。

請翻至第54頁。

妳決定沖個澡

妳踏入沐浴間，轉開水龍頭，水從四面八方射向妳，妳慢慢地旋轉身軀，讓水柱噴灑妳全身。

妳慢條斯理地開始抹肥皂，雙手撫過胸前，接著來到大腿，浴室裡充滿了茉莉的醉人香氣。

妳拿起剛才帶進來的昂貴保濕護髮素，或根據標籤所述稱為髮膜，說明書指示要在頭髮上輕柔按摩並停留整整八分鐘，之後才能以洗髮精洗頭。妳用牙齒撕開包裝，將乳液般的內容物倒在頭上，關上水龍頭，開始按摩頭皮。妳彎下腰仔細檢視靠近大腿的淋浴噴頭。嗯，八分鐘內妳可以用這東西做不少事。

妳聽到吱呀一聲，連接另一間臥室的門打了開來。該死，妳以為已經鎖上了。妳立刻站直，試著用雙手遮掩光裸的身軀，不只因為在沐浴間被人撞見，更因為那些邪惡的念頭感到雙倍羞窘——妳相信它們一定赤裸裸地寫在妳的臉上。

哦，不要吧。是布魯諾，他正邊哼歌邊走向洗手檯。他擠了些牙膏到牙刷上，開始刷牙。妳僵在原地，注意到浴巾在浴室另一側的扶手上。布魯諾在鏡中發現妳的身影時嚇了一大跳，連連咒罵不停，隨後轉過身來。你們四目相對了幾秒。

「妳在我的浴室裡做什麼？」他說。

「我們的浴室！而且你不介意轉個身吧！」妳大吼，昂貴的護髮素正慢慢滴下妳的臉龐。

布魯諾笑起來。「別緊張，小臭妹。我什麼都看不見，真可惜啊。」

他說得沒錯。沐浴間的門從胸部到大腿上方的部位剛好是霧面磨砂玻璃。但一絲不掛地站在離他只有幾步遠的地方還是有點奇怪。

「而且妳說『我們的浴室』是什麼意思？」他問。

「唯一空出來的單人房就是隔壁那一間，但和你的浴室是相通的。」妳解釋。

「妳怎麼沒和妳的男朋友一起住？」

妳蹙眉。「你為什麼這麼想？」

「不知道，他看起來滿酷的啊。而且他長得就像大衛・貝克漢和丹尼爾・克雷格愛的結晶，女人不都愛這一種的？」

布魯諾看上去有點失落。妳一直懷疑他對自己的外表有點在意。青少年時期的他滿臉痘花、略嫌過胖，而且很矮。之後他長高了不少，不再滿臉青春痘，而且瘦了很多，但以外表來看，再怎麼想像，他也不會是史提夫那一掛的。

「外表不是一切。」妳說，有點為他心疼。那一刻妳忘了自己全身赤裸，況且布魯諾曾經是妳的死敵。「我的護髮素還要等七分鐘。不如告訴我你最近在忙些什麼。」

布魯諾坐在馬桶蓋上，開始告訴妳他寫了好幾齣喜劇連續劇的劇本。他講到有位男星堅持要弄清楚自己的角色是基於「何種動機」而打翻一杯咖啡，讓妳笑不可抑。

「那你的私生活呢？凱特看起來人不錯。」妳問。

請翻至第54頁。

凱特走進浴室加入妳和布魯諾

就像是算好時間一樣，凱特打開門走了進來，身上只穿著內衣褲，那種上下搭配成套，奢華昂貴的內衣褲。妳懷疑這週末過後，妳是否有可能看光所有單身賓客衣衫不整的樣子。

她眨了眨眼，看著一絲不掛的妳（雖然一部分被擋住了），以及坐在馬桶蓋上的布魯諾。

「我是否來得不是時候？」她問。

「不，不會！」妳慌忙解釋這一場混亂。她似乎不太在意布魯諾發現一個裸女在他們的浴室裡之後，又在裡面待得太久。她絕對不是愛吃醋那型的。

凱特坐到布魯諾的大腿上，妳留意到他們之間的親暱自在。她問妳關於布魯諾的童年，妳花了幾分鐘講述那些駭人聽聞的細節。當妳告訴她有一次他害得妳頭髮著火，隨後將整壺檸檬汁倒在妳頭上以便滅火時，她玩笑似地打了他一拳。

「我該沖洗一下並且穿衣服了。」妳趁著聊天空檔說。

「請便。」布魯諾語帶鼓勵。凱特又假裝打他一拳，但之後便一起離開了。

妳很驚訝和布魯諾聊天還滿令人享受。妳發現他還是痞痞的，但至少現在他是個逗人開心的痞子。凱特也是那種妳會想和她一起玩的女人。但那可能比實際上還來得尷尬。

妳洗完頭，用厚實乾爽、大得像船帆的浴巾把自己裹住，接著走回房間內，手裡抓著那瓶酒店提供的身體乳液——妳記得在哪看過最佳塗抹時機就是趁肌膚還溫暖濕潤的時候。妳身上仍然圍著那條鬆軟的浴巾，爬上床，擠出一團乳液到手心，接著開始塗抹光裸的雙腿。乳液聞起來有小蒼蘭、柑橘和某種熱帶香味，妳放鬆下來，嘆了口氣。

在冗長的車程和有關史提夫的新發現之後，妳很需要小睡一下。妳靠著枕頭躺好，告訴自己妳只要瞇幾分鐘就行。

正當妳快要沉入夢鄉，門上傳來輕敲聲。妳把浴巾稍微紮緊些，用手肘撐起身體，希望史提夫不會追到這裡來。但探頭進來的人是ＪＤ。「我可以進來嗎？我不想打擾到妳。」他問。

妳有點為難，但又興致勃勃，特別是他只穿了一條牛仔褲就走進妳房裡來，大方展現出那迷人的身軀和刺青。「酒店把我們的房間搞錯了？」妳問，努力把視線從他的胸口移回臉上。

「不，不是的。我只是在安排音樂播放清單，既然開舞的曲目要由我來準備，我就想問問有沒有對貞恩和湯姆來說具有特殊意義的歌曲，問妳應該最合適。」

妳的腦中一片空白，但很快就想起來了。「這首有點老掉牙，我知道，但貞恩很愛『妳有個好朋友』。卡洛・金[3]的版本。」

「謝啦。」他並未動身離開，妳疑惑地看著他。

他瞥到床頭桌上的身體乳液。「既然妳幫了我一個忙……容許我也為妳服務一下嗎？」

他走到床邊，低頭對妳微笑。

妳有點迷惑，隨即赫然驚覺這浴巾底下只有妳溫暖又慵懶，不著寸縷的身軀。

「例如，妳可能需要找人幫忙擦乳液。」JD繼續說。

妳盯著他半晌。妳應該請他立刻離開，但卻發現自己對他伸出一隻手臂，掌心攤開表示邀請。

「你可以從我的手臂開始。」妳幾乎是傲慢地說出這句話。

JD白牙一閃，坐上妳身側的床沿，抬起妳的手臂搭在他的大腿上。他擠出一大團乳液在手中，雙手互搓。「放鬆，什麼都不要想。」他喃喃說道，雙手捧起妳的上臂，十指微彎，堅定但緩慢地沿著妳的手臂往下滑。當他碰到妳的手，他攤開妳的手指，用兩隻大拇指開始按摩，揉著妳虎口處的肉墊，按壓每根手指下方的敏感部位。

快感和滿足讓妳逸出一聲模糊的呻吟，身體更加鬆弛，在他重複整套動作時，直接向後躺到枕頭堆上去。接著他移到床的另一側，開始按摩另一隻手臂。這回在他做完整套的揉捏手法後，他抬起妳的手到他唇邊，輪流仔細啄咬每隻指尖，唇齒的觸感無比輕柔。

妳聽到自己的喘息，他的撫摸帶起一股暖流，並因妳下腹部那股獨特的張力而變得更強。妳在浴巾裡幾不可察地扭動了一下，感覺熱浪已瀰漫至妳的肌膚表面。

ＪＤ似乎沒有發現。他倒出更多芳香的乳液至手中，接著移向床尾，輕輕抬起妳的腿，雙手在妳的小腿肚和腳掌處滑動。當他將妳的腿移向一側，稍微分開雙腿，妳忍不住泛出一絲期待，但他似乎只是打算按摩妳的腳，修長有力的手指以畫小圈的方式深深按壓妳的腳背，妳差點啜泣。他的手隨後滑向妳的腳踝，撫摸著踝骨下方那個敏感的小窩。

「這感覺真好。」妳說，打破空氣中那著魔般的安靜——除了妳的喘息聲之外。

「根據腳底按摩學家所言，腳的這部分對應到，呃，女性器官。」ＪＤ流暢地回答。

隨著他的話，妳感到一陣真實的悸動正來自剛才提到的女性器官，那兒正因為ＪＤ將注意力轉向另一隻腳而渴望著他的關注。一部分的妳想要沉浸在他的揉捏、撫慰和輕觸中，另一部分的妳卻因為期待而緊繃，想知道這些靈巧的手指接下來會往那裡去。

他的雙手撫上妳其中一條腿，用力揉捏小腿肚，接著以細緻的動作輕觸妳膝窩處柔滑的部位。妳知道這樣有點太過放蕩，但妳放鬆雙腿，讓它們略略張得更開，他輕輕將浴巾往上推，以令人髮指的慢動作在妳的大腿上游移。

3　美國知名詞曲創作女歌手。

他抬起妳的腿將之彎起。浴巾從妳大腿上滑開，只剩一個小摺角恰好落在妳的腿間，遮著妳灼熱的私處不讓人看見。

他的動作依然緩慢，雙手沿著妳大腿內側上移，在私處邊緣停住，拇指開始慵懶逗弄地畫圈。妳感覺到私處沁出的蜜液，以及下腹部那股如糖蜜般濃烈的興奮，他的手指就在幾公分外，妳瘋狂地想要他將它們滑入本壘，但他抽身換個方向，開始在另一條腿上重複整套按摩的動作。

妳忍不住了，挫敗地低哼了一聲，他的手立刻停下：「妳要我停止嗎？」

「老天，才不要。」妳呻吟，徹底投降在他緩緩觸摸妳的腿所帶來的凌遲極刑中，現在那雙手正如羽毛般輕拂妳的另一條腿，愈來愈近，愈來愈近，幾乎就要碰到妳的私處——但他又停了下來。

這一次，妳拱起背，萬分懊惱地抬起臀部，身上的浴巾隨著妳的動作滑開，胸部春光乍洩。

「妳希望我？」JD頓了一下。

「噢！當然，拜託你！」妳哀求，所有的警惕隨風而逝。

這一次他不再逗弄妳了，溫暖靈巧的雙手直接罩上妳的雙乳。它們依然因為乳液而略顯滑潤，他有力但輕柔地按摩妳的肌膚，以畫圓的方式揉搓。妳的乳尖頂著他的掌心，他滿意地咕噥了一聲。透過妳半閉的雙眼，妳看到他的喉結在結實的頸間上下移動，震驚地發現他的興奮程度和妳不相上下。

他的雙手滑向妳背後，一手捧起妳的頭，首次吻上妳的唇。他先是貼著妳的雙唇磨蹭，舌尖帶點猶豫地輕探，隨即棄械投降。

妳向他開啟雙唇，扣住他的頭，十指穿入他的髮絲，你們在彼此的口中互相糾纏，除了妳愈來愈快的呼吸聲，舌尖相抵所發出的微弱水聲是房裡唯一的聲響。

他邊用手扶著妳的頭，邊將修長敏捷的身軀向床上的妳靠近，另一隻手從妳胸部上方游移至雙峰之間，慢慢撫過肋骨和腹部，停下來用手指探進妳的肚臍眼，最後棲息在妳的私處上方。

「拜託你。」妳又說了一次，骨盆移上去貼住他的手，終於，他往下撫摸起妳腫脹濕潤的皺褶，將之撥開，探索玩弄，中指輕觸妳小穴的開口，伸了進去，直到妳拱起臀部，他的手指滑進滑出，你們同時發出飢渴又滿足的嘆息。

你們兩人再次親吻，他的舌頭搭配著手指在妳體內的速度，直到妳輕輕抬頭，咬住他的耳垂。

「我不能再等了。」妳喃喃低語。他一手伸進口袋拿出保險套，暫時離開妳以便脫掉牛仔褲。他的臀部完美無瑕，既挺翹又緊實，但妳只欣賞了幾秒，他就跪在妳雙腿間，一手環抱著妳的雙肩，身上的刺青略略起伏。

他抓了個枕頭塞進妳屁股下方，抬起妳的身體中心往他身上靠，妳雙腿纏繞著他的腰，使他驚人的勃起對準著妳。他將勃起的尖端送入妳小穴的開口，妳拱起身子貼近他，雙雙再次呻吟出聲，他滑了進來，愈來愈深入，愈來愈用力，妳緊抓住他，手指深陷進他強壯的背肌，雙腳緊貼著他的臀部。

他的勃起不只長度驚人，尺寸還很粗大，妳感到自己被撐開，親密地包覆著他，你們的身軀相互契合，為彼此調整出最舒適的角度。他再度纏綿悱惻地吻妳，隨即將下巴埋在妳肩頸之間開始衝刺，起先還保持著一定的速度，隨著每次進出而低吼。

可能是因為妳臀部的角度，也或許是因為妳很放鬆，每當他深入妳體內，妳的神經末梢就隨著他撐開妳體內柔軟的內壁而顫抖。妳知道一波巨大的高潮將輕易來臨，妳只需要躺著等待它來襲……再衝刺一次，再來，只要再一次……妳在ＪＤ的臂彎裡解放，背部用力拱起，連他的身子也跟著抬了起來，妳的小穴在他的下體周圍快速收縮，一波又一波的狂喜從妳的骨盆四散而出，直至髮根。

妳的高潮刺激了他，他喊了一聲，隨即也繳了械，全身的肌肉繃得死緊，然後才虛脫似地倒在妳懷裡，慢慢從妳身上移向一旁，你們的四肢仍糾結在一起。

好一會兒，你們只聽得到彼此不規則的呼吸。妳的頭靠著他的肩窩，伸出手指懶洋洋地撫摸他手臂上的刺青。圖案看起來有點居爾特風味——妳仔細一瞧，似乎是條龍，而且它開始閃爍並漸漸消失。

妳一頭霧水，看向JD的臉，但回望妳的卻是布魯諾的雙眼。發生什麼事了？而且為什麼有人在打鼓皮上畫的刺青？

妳眨眨眼，再睜開眼睛時，卻發現妳獨自一人躺在床上，身上還圍著浴巾，聞起來有雞蛋花或某種同樣具異國風情的香味。鼓聲來自門上的敲擊。妳作了個夢，睡著的時間比妳預計的還久——根據窗外的燦爛金光看來，應該已經是黃昏了。妳站起身，雙腿依然美妙地鬆軟無力，接著往門上的貓眼看去。

是茜茜。

「我需要妳幫忙，」她大步衝進房內。「我有大麻煩了！我為所有的女客預約好今晚在酒店內做SPA，對自己好一點，妳懂的。但他們發生了一場不幸的脫毛意外，所以取消了。我們現在該怎麼辦？櫃檯人員說當地的酒吧今晚有卡拉OK之夜，但那可能會很低俗。不然的話，我們可以留在酒店裡，開個男賓止步的睡衣派對。妳覺得我們該做什麼？」

太棒了，妳心想，揉揉眼睛，試著清除殘餘的夢境。妳可以理解為什麼英俊的DJ會冒出來，但布魯諾在妳腦袋裡做什麼？但不管怎樣，現實世界中的母雞派對[4]可以暫時解決

4 母雞派對（Hen Party）指的是限女性參加的婚前告別單身派對。

史提夫的問題——他會去參加男人版的單身派對，所以妳可以拖延那尷尬之至卻避免不掉的「我只是沒那麼喜歡你」對話，至少可拖過一個晚上。問題是，妳真的想花一整晚大唱難聽的口水歌和享用廉價的龍舌蘭酒，還是和女孩們共度一晚，將睡衣扔得到處都是？

如果妳認為卡拉OK之夜是個好主意，請翻至第63頁。

如果妳寧願開個姊妹淘派對，請翻至第71頁。

妳選擇了卡拉OK之夜

卡拉OK之夜真是不出妳所料：架著一支麥克風的鄉村酒吧，一個勉強湊合的舞台，角落的三夾板木櫃後有位禿頭的DJ。

妳想辦法逃離酒店，避免和史提夫有任何獨處的機會。在他和那群身穿黃T恤的男人準備出發享受屬於他們的歡樂夜晚時，他試著吻妳的唇，但妳偏了一下頭，使他只能吻到妳的臉頰。布魯諾，同樣也穿著那件「沒問題你行的」T恤，內搭一件長袖黑色襯衫，高深莫測地看了妳一眼，而妳沒看到JD的人影。

但妳現在必須把對史提夫的關切放在一邊，而要確保貞恩以單身身分好好享受婚前這一夜。她看起來有點緊張，正在狂點大量的雞尾酒和一口酒。

妳走向酒吧找她，麗莎和凱特正在那兒喝著第一輪的龍舌蘭酒。蘿倫阿姨靠在吧檯旁和酒保閒扯，後者的年紀簡直可以當她孫子。從他的表情看來，她可能已經得手了。至少今晚有人運氣不錯。妳懷念起JD和他那誘人的刺青。妳不介意研究一下那些刺青是否延伸到他身體的其他部位，但現在沒有機會那麼做。他擺明了認為妳和史提夫是一對。

貞恩喝乾一口杯中的酒，接著再來一杯。妳如法炮製，感到酒精竄入妳的五臟六腑，在血管內溢流。妳看著茜茜和諾伊以最大音量在那裡狂吼歌詞「我會活下去」。麗莎和凱特交頭接耳地聊得很起勁。

「妳覺得我這樣做對嗎？」貞恩問。

「不，卡拉OK從來就不是個好主意。」

「我是說……這些婚禮籌備事項，讓我根本沒時間好好思考……婚姻是不是我真心想要的。」

這個想法是哪裡冒出來的？妳喜歡湯姆，他很善良，是個斯文有禮的傢伙。但事實是，妳擔心他可能會有一點點，唔——就像麗莎會形容的——他媽的無趣。「但妳和湯姆從大學時候就在一起了呀。」

「問題就在這裡——我從來沒和其他人交往過。別誤會我的意思，湯姆非常好，只是……如果我命中注定的他正在某處等我怎麼辦？」

這已經超出妳的能力範圍了，但妳告訴自己，新娘在結婚前夕想要臨陣脫逃是很正常的。是吧？

麥克風發出一陣雜音，妳蹙起眉頭。「這首歌要獻給我生命中最特別的女人。」一個男人開始吟唱。呃噢。妳認得那聲音。

妳慢慢轉頭，心中升起一股只有在浴室看到蜘蛛時才會有的恐懼。史提夫站在舞台上，手裡抓著麥克風，正準備開口唱一首聽起來像是〈奔放的旋律〉[5]般恐怖的歌曲。他在這裡幹嘛？他一定是從男性單身派對裡偷溜了出來。在他激動地唱出第一句「親、親、親、親愛的」一時，妳打了個哆嗦，腦袋裡某個角落不得不承認，他可能是全世界唯一穿著黃T恤看起來還如此養眼的男人。

麗莎向妳投來一瞥，做個「我的老天啊」的口型。

「那不是史提夫嗎？」貞恩問。蘿倫阿姨正在舞台前呵呵傻笑，年輕小酒保已經被拋在腦後。

妳湧上一股壓抑不住想要逃跑的衝動。但妳怎麼能在貞恩的單身派對上棄她而去？妳應該是她最好的朋友！

但是……妳真的能忍受史提夫對妳唱情歌的這種窘境嗎？

如果妳決定留下來咬牙撐過去，請翻至第66頁。

如果妳想逃開，請翻至第68頁。

---

5 電影《第六感生死戀》主題曲。

妳決定留下來咬牙撐過去

貞恩可能喝醉了，但倒不至於感覺不出妳的困境。史提夫試著在人群中找尋妳，恐怕不會花他太多時間。接著他可能會請妳走上舞台，和他站在一起，妳還沒醉到可以接受這種除了痛苦什麼也沒有的經驗。

「來吧，我們離開這裡。反正我也已經受夠了。」她說。

妳們一起走向女化妝室，接著又飛快走向停車場。茜茜安排了一輛車在酒吧打烊後接大家回去，但現在至少還要等一個小時。幸運的是，一輛附近度假村的計程車剛載了對醉醺醺的情侶過來，貞恩腳步蹣跚地走過去。

妳們上了車，請司機送妳們回酒店。

「妳們真幸運，我正打算收工回家呢。」他說。

妳問貞恩要不要談談她想臨陣脫逃的事，但她咕噥著說明天再談吧。她靠著妳的肩在車內睡著了。等妳們回到莊園，妳得半拖半抱才能把她弄回自己房間去。她明天早上起床後宿醉一定會很嚴重，所以妳說服她吃顆阿斯匹靈，再喝杯水。

妳用迷你吧檯上的免費茶包幫自己沖了杯茶，陪在她身邊，直到她沉入夢鄉，接著走回自己的房間。

妳走過轉角，隨即僵在原地，因為妳看到一個穿著黃色T恤的身影正在敲妳的房門。

「寶貝兒？寶貝兒？妳在裡面嗎？」

妳現在真的沒心情和史提夫進行太麻煩的對話。怎麼辦？

如果妳想到外面去呼吸點新鮮空氣順便等他離開，請翻至第73頁。

如果妳想偷偷到酒吧去喝杯睡前酒，請翻至第81頁。

妳決定逃離此地

「我去一下洗手間。」妳在像是貓叫春一樣的歌聲中大吼。

懷著拋棄朋友的罪惡感，妳偷偷地溜進夜色中。妳發了個短訊給貞恩，解釋妳為什麼要潛逃。但接下來要做什麼？妳必須回到酒店才行。妳試著叫計程車，但妳人在一個鳥不生蛋的地方，附近度假村中唯一一間計程車行的電話又直接轉到語音信箱。

妳沒得選擇，只好步行。樂觀一點想，只不過一、兩公里左右，剛好可以在喝了那麼多龍舌蘭酒後運動一下，呼吸些夜晚的新鮮空氣。妳脫下高跟鞋，光腳走在路邊，享受清涼的草地在足趾間帶來的感覺。

今天晚上很溫暖，但月亮被雲遮住了，所以眼前是漆黑一片。妳希望自己最後不要跌進水溝裡去。

妳聽到引擎的吼聲，回過頭一看，摩托車的單顆大燈正漸漸靠近。

它減速後停在妳身邊。妳心頭一驚，妳正獨自一人走在荒蕪的鄉間小路上，不管怎樣，妳還是可以揮動高跟鞋自衛，以防萬一。

摩托車騎士摘下頭罩。「要搭個便車嗎？」是麥奇。全世界最聲名狼藉的伴郎。

「你不是應該和那群男人在一起喝酒嗎？」妳問。

「我們去的那間酒吧裡滿滿都是八十幾歲的糟老頭。我偷溜出來啦。」他說。「要不要我載妳回酒店？我可是很清醒，別擔心。」

妳思索了一秒，直覺告訴妳不要坐上那輛車。「不啦，謝謝你。我媽總是告誡我不要隨便搭陌生人的摩托車。」妳說。

「隨便妳囉！」妳以為他會反駁，但並沒有。他發動引擎離開，留下妳一個人。沒幾分鐘後妳就後悔自己的決定。有隻貓頭鷹大叫一聲，嚇得妳跳起來。身旁大樹那些黑暗的枝枒像是要直戳妳面門。一個巨大的黑影在妳身旁的田裡移動——妳告訴自己那只是貓，但現在妳真的嚇到了。一隻鼬鼠（或只是大老鼠？）正飛快地穿越妳面前的馬路。

妳快瘋掉了，卻看到兩顆閃亮的車頭燈愈來愈近。一輛車停了下來。妳認出是那輛湯姆和貞恩特地租來當結婚禮車的老爺車，是勞斯萊斯的某個車款，總之一定價值不菲。

駕駛座的車窗降了下來。「我知道妳對摩托車沒什麼興趣，但搭陌生人的轎車怎麼樣？」是麥奇。他又回來接妳了。

妳如釋重負地上了車，癱在那白色的乘客座皮椅中。車子的內部足足有妳家臥室那麼大，奢華度乘以兩倍。桃花心木的儀表板在車內燈光下微微發光，羊皮地墊撫慰著妳的裸足。

「你哪來的車鑰匙？」妳問。

「如果我告訴妳，就得殺妳滅口。」

「唔，我寧願被當成『俠盜獵車手[6]』的從犯一起丟到河裡去。」

不久，你們就停在酒店外面了。

「謝謝你的便車。」妳說。

他轉頭。「嘿，想找點樂子嗎？」

妳瞇起眼睛。「要看你所謂的樂子是什麼。」

「別離開，妳就會知道了。」

如果妳想看看麥奇在打什麼主意，請翻至第85頁。

如果妳想回房間好好睡上一覺，請翻至第93頁。

妳決定留在酒店內開一場男賓止步的睡衣派對

隨著睡衣派對的進行，這主意其實還不算太糟。

蘿倫阿姨用甜言蜜語從酒店經理那邊騙了幾瓶酩悅香檳帶過來，又以她在美好的六〇年代擔任攝影師的小故事逗得妳們開心不已。妳也發現布魯諾的女友凱特，不只超級好相處，而且多才多藝。她出版過一本小說，坐船航行過世界各地，而且她是用自嘲又有趣的口吻說出這些事蹟。唯一的疑點就是她怎麼會和布魯諾在一起。

夜愈來愈深了。其他的客人數小時前就離開了，麗莎和凱特坐在床的一側，口沫橫飛地聊個不停。幾乎像快要癱瘓的茜茜和諾伊，正在高唱碧昂絲的某首歌。蘿倫阿姨在陽台上吸大麻。

只有貞恩一臉泫然欲泣。

「妳怎麼啦？」妳問。

---

6 俠盜獵車手（Grand Theft Auto），全球知名的暢銷電玩系列，遊戲的英文原名為「重大汽車盜竊」之意。

她誇張地聳聳肩，看來她不只是微醺而已。「我可能有一點點想要……叫什麼來著？臨陣磨槍？」她打個嗝。

「是臨陣脫逃吧？關於嫁給湯姆？」這不太妙。妳喜歡湯姆，畢竟，有什麼好不喜歡的？他心地善良，性格沉穩，還是個獸醫。但妳必須承認，他不是世界上最有趣的人。

「是低。不對……我不知道啦。」她又打個嗝。「別理我。只素有點煩。」她站起身來，倒向一邊。妳最好扶她到床上去。

妳對其他人道晚安，帶著貞恩回她房間去。

「妳想多聊聊這件事嗎？」妳問。

「明天吧。」她口齒不清，整個人癱在床上。妳餵她喝了幾杯水，幫她蓋好被子，走回妳自己的房間。

妳繞過轉角，立刻僵在當場。一個熟悉的黃T恤身影正在敲妳的房門。

「寶貝兒？我們得談一下。」噢，糟糕！是史提夫。妳還沒有心理準備。

現在怎麼辦？

如果妳想到外面去呼吸點新鮮空氣，順便等他離開，請翻至第73頁。

如果妳想偷偷到酒吧去喝杯睡前酒，請翻至第81頁。

妳決定到外面去呼吸點新鮮空氣，順便等史提夫離開

妳不敢面對史提夫，並暗暗告訴自己你們兩人絕對是個「有問題，辦不到」的組合，對此妳覺得自己真是懦弱膽小。妳匆忙穿過接待櫃檯，走到通往酒店庭園的落地窗外。

這是個美好的夜晚，空氣溫暖芬芳。雲清月明，月光在湖面上粼粼起舞。妳信步往下沿著湖邊走，停下腳步伸手探探湖水。妳差點想要脫光衣服跳進水裡，但自己一個人裸泳有什麼好玩？

「寶貝兒？」妳轉過身，看到一個修長的身影站在酒店陽台，正在四處張望。

糟糕。妳匆忙躲進旁邊的避暑小屋，那是一座造型優雅的建築，裡面堆了好幾箱園丁的工具、幾十張堆疊起來的木條凳、還有幾張池畔躺椅。向外看出去就是湖景，而且隱密又寧靜，在這裡躲一陣子再適合不過了。

請翻至第74頁。

妳躲在避暑小屋裡避難

妳聽到腳步聲逼近，伴隨著一陣輕聲細語。噢，該死。史提夫帶了幫手來嗎？妳慌亂地四處張望，接著蹲到小屋角落的一張格子屏風後面去。

地板吱嘎作響，妳聽到擦亮火柴的聲音，接著聞到一股蠟燭氣味。妳從格子縫裡往外偷看，只見兩個人影，一男一女，點亮了一些茜茜買來布置婚禮剩下的茶蠟。「以防萬一。」隨著光線亮起，妳認出了ＪＤ和早前酒吧聚會中的一位女侍。

這很尷尬，他們應該是想要親熱一下，但妳不想當那隻在牆上沉默旁觀的蒼蠅。妳該如何讓自己脫身？也許妳繼續保持安靜，他們就會離開。

如果妳決定繼續躲藏並祈禱他們離開，請翻至第75頁。

如果妳決定想辦法離開這裡，請翻至第79頁。

妳決定繼續躲藏並祈禱他們離開

妳彎低身子，手指交叉暗暗祈禱，希望他們自動離開。但這份希望因速度漸漸加快的喘息、低吟、親吻和脫衣聲而破滅。妳透過格子縫往外看，並非要監視他們，只是想知道他們的進展如何。如果他們還不至於衣衫不整，也許妳就可以現身，然後隨便編個理由。跟他們說妳在研究天鵝的夜間習性之類，任何可以解釋妳三更半夜還在池塘邊鬼鬼祟祟的原因都好。

但來不及了。他們已經脫掉上衣，而妳即使知道不應該，還是忍不住盯著看。燭光在他們的肌膚上映照出清晰的影子和溫暖的光芒，JD的刺青像是有生命般地跳動著，他的身軀強壯而輕盈，而她則身材曼妙，肌膚如絲綢般細緻。不同膚質與輪廓的對比，讓他們倆在緊緊相擁時更令人讚嘆。

如今他們已經交纏在一起，熱情地互相親吻，微弱的聲響和細語在寂靜的夜晚顯得震耳欲聾。妳因為尷尬而滿頭大汗。但要是妳誠實一點，其實也不是只有這個原因。

別看了，別看了，妳告訴自己，但還是死盯著如舞者般移動，正在幫彼此除去餘下衣物的他們，停下動作只為了用鼻尖相互磨蹭和熱吻。妳目不轉睛的同時，ＪＤ低頭埋進女侍蘋果狀的雙峰，她將頭往後仰，閃爍的燭光照亮了她的喉嚨，先前盤在腦後的頭髮披散在背上，他強壯的手向下往她挺翹的臀部撫去，捧著她的臀瓣揉捏按壓，十指清楚地印在那誘人的肌膚上。

隨後他將她橫抱起來，帶她去池畔躺椅，讓她躺好，接著跨坐在她身上。妳不知道該覺得刺激還是驚慌，妳將要近距離目睹下一幕了。現在亮相為時已晚。無論喜歡與否，妳都得繼續看下去，就算再怎麼不願意承認，部分的妳確實樂在其中。

等妳再次看過去的時候，ＪＤ已經沉下身子移到女侍的雙腿間，他進入時，兩人都呻吟了起來。妳以前從未看過男女做愛，此時感受到一種奇特的美，像是在欣賞某種古老的異教儀式，卻也不可思議地淫蕩。

ＪＤ開始有節奏地抽動，剛開始還慢條斯理，女伴的頭因每一次的衝刺而後仰，她緊扣在他肩上的雙手不時捏緊，口中發出微微的喘息。

這可不是夢境，妳恬不知恥地看著兩個陌生人性交，更糟的是，妳幾乎喘得和他們一樣厲害。妳摸著汗溼的脖子，接著往下碰觸胸部，感受肌膚底下跳動的心臟。妳的乳頭堅挺，但並不只是因為夜晚的冷空氣。

妳無法控制自己。妳開始將另一隻手探入裙內的底褲，它已經溼透。妳的手指因這次經驗夾雜的不安、慾望與奇異而顫抖——妳在挑戰禁忌，但當妳因為將食指滑進溫熱潮濕的私處而倒吸一口氣時，妳便知道已無法回頭。

在此同時，他們倆也加快了速度。妳宛如被催眠般地凝視著ＪＤ不斷起伏的壯碩臀部，愈來愈快，愈來愈猛烈，妳想像他是與妳交合，自己才是在被他征服時不斷發出哭喊聲的嬌弱獵物。妳的肌膚熱得發燙，無助地用手指撫摸小蒂周圍，妳的興奮已經到達頂點，妳不敢直接碰觸它。隨著ＪＤ幾乎全部抽出之後再深深插入，妳也忍不住喊了出來。妳生怕洩露了自己的存在，但要停止已經太遲了。

在那一刻，ＪＤ將自己全部抽出，女侍哭喊著：「拜託，求你——」她抗議的聲音突然變成狂喜的呻吟，因為他低下身子，將臉埋在她雙腿之間。看到他黑髮的頭顱規律地在她大腿之間動作，讓妳瀕臨崩潰，兩指也繼續輪流撫弄著小蒂，一波波狂野激烈的快感湧來。

女侍開始高潮，她發出近似尖叫的嘶吼，在ＪＤ身下劇烈顫抖。這是完全發洩野性精力的時刻，他起身壓住她喘息的嬌軀，再次進入她，深深地衝刺，低吼一聲之後氣喘吁吁地倒在她身上。

但此時的妳卻得咬著拳頭，因為高潮強烈地在妳體內爆發，幾乎像是種痛楚。幸運的是，妳模糊的叫聲被躺椅上那對愛侶滿足的喘息與呢喃蓋過了。

妳的心跳如擂鼓般巨響，雙腿軟弱發顫，但如果要逃開就得趁現在。妳快速衝往自由的方向，蹲低著跑開。妳覺得自己聽到身後傳來驚呼聲，但妳低著頭，以極速狂奔過草坪。妳無法相信剛才的所見所為，妳安慰自己，一定是因為期待婚禮的興奮和滿月的綜合效應。

妳在入口處停下來整理一下洋裝，試著調整呼吸。希望史提夫早就上床睡覺了。現在妳只想躲回房裡，或許花個一分鐘靜靜回想在燭光下纏綿的火熱肉體，然後好好睡一覺，免得明晚參加婚宴彩排時還有黑眼圈。

請翻至第93頁。

妳決定必須離開這裡

妳希望ＪＤ和那位女侍只是來交換一些對目前經濟環境的看法，但事與願違。妳打算火速逃離的計畫在他脫掉她的上衣時徹底粉碎。哇，他動作真快，妳微微感到嫉妒。妳生出一股禁忌的衝動，如果膽子真的夠大，妳可能會從藏身處跨出去，宣告自己的存在，並且提議加入他們。等等，這念頭是哪來的？邪念讓妳有點燥熱不安。妳換個姿勢，腿撞到其中一張椅子。

那兩人僵住不動。「什麼聲音？」女侍低語，遮住自己的胸部。

「有人嗎？」ＪＤ喊。

哦，老天，如果被逮到就糗大了。妳屏住呼吸。

「看吧，什麼都沒有，只有大自然，」他說，「來，剛才到哪裡了？」他伸手滑進她的裙底。

女侍發出非常戲劇化的呻吟。

呃，她是會尖叫的那種型。絕對是離開這裡的時候了。

妳一直等到女侍閉上雙眼，雙唇微張，JD的頭沒入她的大腿中間之後，才火速跑開。妳永遠沒辦法再面對他們任何一個人了，但妳現在沒辦法擔心這些。妳想要的只是回到自己的房間裡去，好好洗洗眼睛。最好再消毒一番。

希望此時史提夫已經放棄搜尋，並且回到他的房間裡去了。經過這充滿戲劇化經歷的一天，妳祈禱能睡個好覺，這樣明天晚上才能神清氣爽地出席婚宴彩排。

請翻至第93頁。

妳決定偷偷溜到酒吧去喝杯睡前酒

妳走進酒店大廳，看到一對男女在前門外的樓梯上緊緊擁抱。妳認出是ＪＤ和稍早前在聚會上遞送香檳酒的某位女服務生。他們消失在夜色裡，十指緊扣。妳按捺心中湧現的一絲遺憾，走進酒吧，除了吧檯人員之外，沒看到半個人影，他似乎也準備收工了，角落的桌子前坐了個男人。

是麥奇，湯姆那位惡名昭彰的伴郎。「嘿，一起喝一杯吧？」他喊。

妳猶豫了一下。但雖然麥奇的品行可能和查理．辛[7]差不多，不過有他在場，永遠不會無聊。妳今晚恐怕已經攝取了太多酒精，所以妳點了杯柳橙汁後加入他。

「你怎麼沒去單身派對？」妳問。

他聳肩。「我們去的那間酒吧裡面擠滿了上了年紀的農夫，全都喝得酩酊大醉。我沒興趣。」

7　美國知名的花花公子男星，出生於演藝世家，影視作品眾多，因其混亂的私生活而備受爭議。

妳似乎聽到史提夫模糊不清的聲音：「寶——貝！」妳二話不說，立刻躲進桌子底下。

「趁著妳在下面……」麥奇說。

「噓！」妳從二十開始倒數，接著從桌子下方探出頭來。「外面沒人了嗎？」

「嗯，他走了。怎麼回事？」麥奇問。

「別問了。」

「他人看起來不錯呀。」

「真的？」

「千真萬確。他非常搞笑。」

顯然麥奇的眼力就和他的男女關係一樣糟糕。「謝謝你沒出賣我。」

「那幫我做件事當成回報如何？」

「哪一方面的事？」妳狐疑地看著他。

「好玩的事，我保證。」

他站起身。妳好奇地跟著他走到室外，腳下的碎石子地沙沙作響。

「你到這裡來做什麼？」妳問。

「走這邊。」他笑著說，邊往禮車走去，一輛精緻典雅的銀色勞斯萊斯老爺車。他打開乘客座的門，示意妳坐進去。

妳頓了一下，他對妳露出那慵懶的笑容。他很性感，這點無可否認，他拯救人命，休閒時還去攀岩，所以那精壯的體格有如刀鑿。但妳知道這樣下去沒好處，除了可能會有一場讓人極度後悔的一夜情，而妳並不是那種女孩。

或者，其實妳是？

如果妳決定該上床了，只有妳一個人，請翻至第84頁。

如果妳決定看看麥奇葫蘆裡賣什麼藥，請翻至第85頁。

妳決定上床睡覺

妳沿著走廊鬼鬼祟祟地溜回房間，祈禱史提夫今晚已經宣告放棄。妳真是個懦夫，為什麼不能大方告訴他，妳對他沒興趣，而要像個女學生一樣到處躲？

不行。他還在妳的房門外面徘徊。妳再次踮著腳尖離開，咒罵著他和妳自己。這次妳逃到酒店外面去。今夜是個絕美的夜晚，早前的雲層已經散去，草地在月光下閃著銀輝。妳信步走向湖邊，往佇立在水邊的避暑小屋而去。牆邊堆了許多椅子，還有張池畔躺椅可以俯瞰湖景。妳坐了上去，欣賞這一輪圓月。

終於安靜了。

請翻至第74頁。

妳決定看看麥奇葫蘆裡賣什麼藥

麥奇將勞斯萊斯開過草坪，停在湖邊的一棵樹下。

「我們到底要做什麼？」妳問。

「等著瞧。」

他下了車，打開行李廂拿出幾箱像是罐裝刮鬍膏、空錫罐，以及女性內衣的東西。

他將這些扔到妳身邊，遞給妳一罐刮鬍膏，手裡搖晃著另一罐。「來吧。」

「你瘋了嗎？你要到婚禮當天才可以蹂躪禮車吧。」

「就當作我們先預演一下囉。」

「這只是想在我身上抹刮鬍膏的藉口吧？」妳問。

「可能喔。我還滿喜歡把妳全身塗滿泡沫這個主意。」妳還來不及反應，他就拿著罐子對準妳開始噴。妳尖聲大叫，鑽進箱子裡多拿一罐以便武裝自己。

五分鐘後，你們兩個都氣喘吁吁、不停傻笑並且滿身泡沫。「這真的太蠢了，我全身上下都是這東西，連頭髮都是。話說我這個週末應該要美美見人的。」妳說。

「別擔心，有個辦法可以讓我們變乾淨。」麥奇輕快地答。

他牽著妳的手，把妳拖向湖邊。妳起初不肯就範，但今晚如此美好，一場夜泳或許剛好可以讓妳釐清思緒。

脫掉鞋子，你們一起走進水裡。這感覺既驚奇又令人興奮，妳踩著水前進，趾間滿是柔軟的泥土。妳向後仰，踢起一波波水花。有隻水鳥在蘆葦叢中啁啾不停。

即使在月光下，妳仍然可以看到麥奇的目光緊盯著妳胸前——黏稠的泡沫和冰冷的湖水使妳這件布料輕薄的洋裝徹底變得多餘：妳那硬如子彈的乳尖從四面八方都可一覽無遺。他向妳游過來。「是因為天氣冷，還是妳很高興見到我？」他問，偏頭對著妳的胸部示意。

妳再次潑他一身水，咯咯笑著涉水離開。「你作夢。」妳走向較淺處，沿著草坡往車子方向走去。今晚氣候溫和，但妳全身濕淋淋的，起滿雞皮疙瘩，洋裝緊貼著身軀。

妳轉身看著麥奇從水裡出來走向妳。在夜色的銀輝光芒之下，他看起來就像突然活了起來的某位二線古典天神雕像。不管多性感，他都不是妳的菜，事實上，他不是任何正常女人的菜——但妳還是忍不住盯著他看，因為他正緩緩地解開襯衫鈕釦，脫下那件濕布，岩石般結實的胸肌清楚分明，妳簡直想雕鑿它們。或許該是沖個冷水澡的時候了，看來清涼的湖水無法使妳冷靜下來。

麥奇，全身只穿著一件潑漆牛仔褲，走向站在車旁的妳，在其中一個箱子裡翻找。

「來，」他說，拿出一瓶琥珀色的液體。「可以讓妳溫暖一點的東西。」

「這是什麼？」

「先試試看嘛。」

妳嗅了一下，聞起來能致人於死地。「你先來。」妳說。

麥奇喝了一大口，擠眉弄眼地嚥了下去。

妳啜了一小口。在體內一路往下延燒。「這是什麼，私釀酒嗎？」妳問。

「Mampoer。南非來的烈酒。我上次旅行時帶回來的。」

妳又喝了一口，感覺那股熱力在胸口蔓延。這東西還真有效。

他轉開車內收音機。「要跳舞嗎？」

妳正準備找個藉口，但探戈那辨識度極高的節奏響了起來。妳愛這種舞，它非常性感，同時又充滿渴望。但回到妳自己房裡，把濕衣服換掉，好好睡一覺，不是比較明智嗎？

如果妳決定和麥奇共舞，請翻至第88頁。

如果妳決定回房間好好睡上一覺，請翻至第93頁。

妳決定和麥奇共舞

「好吧，就來跳吧。」妳說。「但如果我要和你一起跳舞，我得再喝一口那個酒。」

「馬上來！」麥奇把瓶子遞給妳，妳喝了一大口，感到那股火焰一路下滑，在妳的血管內注滿了勇氣。

「好，來看看你的舞技如何。」妳向麥奇走近一步，一手放在他掌中，另一手搭在他的頸背。妳開心又驚訝地發現他已經擺出正確姿勢，將妳擁近一些，手滑到妳背後適當的部位，接著將身子貼住妳的身軀。

他在舞步開始前先隨著音樂輕輕搖晃，帶妳熟悉節奏。接著，完美配合著小提琴哀怨的樂聲，你們開始起舞，沉醉在古老熟悉的節拍中，向前、向後，又向兩側舞動。

你們的舞步都有些生疏，但麥奇的平衡感很好，妳也重新記起大學時向一位阿根廷作曲家學過的舞，妳的身體記得這種舞蹈的方法和動作。

「你怎麼可能會跳這個啊？」妳問，麥奇正帶著妳跳了個標準的探戈鎖步。

「我母親以前是個超級探戈迷，她一度還當過老師。其實我跳得不怎麼樣，但就是愛上了。」他說。

接下來一段時間內，妳專心讓他帶舞，揣摩他的下個舞步，但接著妳放鬆下來，膽子也大了些，相信麥奇在妳轉動臀部和肩膀時會牢牢扶住妳，即使在嘗試那些性感的踢足舞步時也一樣。

他鎖住妳的腳，妳回他一個反踢步。「漂亮！」他說，一腳滑入妳的雙腿之間，做出一個纏腿的動作。透過濕漉漉的牛仔褲，妳可以感受到他體溫的熱度，而當你們的胸口緊貼，妳會想不如妳也脫光算了。你們脫離彼此的懷抱，稍稍向後退開，隨著音樂左搖右擺，妳的乳尖擦過他光裸的肌膚，你們雙雙輕顫了一下。妳告訴自己，今天晚上還滿涼的。

妳忘記探戈這種舞蹈會如何挑動人的感官，強烈的節奏促使妳跳起敏捷大膽的舞步，不時帶點欲拒還迎，妳記起了老師曾經說過的話，就像男女求愛。

妳感覺麥奇的呼吸搔弄著妳的耳朵，警惕已隨風而逝。當他給出暗示，妳不顧一切地彎身後仰，髮絲幾乎垂到地面。他一手穩住妳，讓妳在他臀部和做為支撐的大腿間保持平衡，接著用指腹按在妳的胸骨上，慢慢下移來到肚臍下方。他扶妳重新站直，讓妳緊緊貼著他的胸膛，那股暈眩太過強烈，妳腳步一個踉蹌，害得他也差點站不穩。

麥奇的手往下移，更往下，溫暖的嘴隨即吻上妳的脖子。這真的不是個好主意，但隨著他的輕啄，妳全身竄過一股顫慄。

小提琴依然演奏著悲喜交集、纏綿動人的旋律，但樂音是那麼遙遠，夜空中的星辰正在輕輕旋轉。

「我需要多點溫暖，那瓶酒去哪兒了？」妳說。

「媽咪？」一個孩童的聲音嚇醒了妳。「我看到那個小姐的羞羞部位了。」

妳睜開眼睛，一群人正俯視著妳。很多很多的面孔。大部分的人臉上都是震驚或促狹的表情。妳看到蘿倫阿姨（促狹）、湯姆（震驚）、迪蘭神父（又震驚又促狹）、貞恩的母親（震驚）以及帥哥JD（促狹）。麗莎用手捂著嘴，笑到眼淚都流了出來。多米諾家族一臉酒吐後的表情，正努力把那些看呆了的孩子趕開，還有布魯諾和他的女友，正強忍著不要笑出聲音來。

有人在妳身旁呻吟。

妳用手肘撐著坐起身來，這個動作讓妳差點嘔吐。妳的頭感覺像是有人拿電鑽在上面挖洞，早晨的陽光像是正用刮鬍刀片劃妳的眼球。然後妳突然明白了。

妳一絲不掛，躺在酒店前方的草地上。妳慌忙用手遮住胸部。妳身邊滿滿都是保險套，水母般的套子撒了一地。妳的鞋子和底褲就躺在那瓶空了的Mampoer旁邊，還有幾個壓扁的高級蘋果酒空罐。

「拜託誰去叫那些該死的鳥閉嘴。」麥奇咆哮。妳轉頭看他。他也赤身裸體，有人在他的肚子上用口紅寫著「**沒問題，你行的**」，還畫了一個箭頭指向他的胯下。妳認出那支口紅的顏色：是妳的口紅。妳一愣：是他的小弟弟確實太袖珍，還是要怪早晨的氣溫太涼爽？

「我的頭。」另一個聲音呻吟。妳越過麥奇平躺的身軀看去，是那位櫃檯人員。他穿著妳的洋裝，戴著一頂金色長假髮。妳昨天晚上到底幹了什麼好事？

妳試著將片段拼湊起來。妳和麥奇繞著禮車跳舞，輪流喝著那瓶南非酒，咯咯笑個不停，享受著美好的時光。

剩下的就是一片空白。

「寶——貝。」妳從不知道一個簡單的字眼可以包含如此多的傷心和失望。那是史提夫，一邊搖頭一邊很有義氣地脫下他的黃色T恤（同時吸引了蘿倫阿姨充滿情慾的目光），以指尖捏住接著丟給妳。妳立刻穿上。衣服夠長，可以遮住妳的春光，但沒有任何事物長到足以遮蓋妳的丟人現眼。

一聲高分貝的尖叫傳來，帶點歇斯底里，像把生鏽的鋼鋸一般穿透妳抽痛的腦袋。人群散開，妳看到茜茜尖叫著指向湖面。

噢，慘了。

禮車的後車廂還浮在水面上，酒吧裡那個鹿頭標本正在旁邊浮動，其中一隻角上掛了個皇冠。

「一定是不小心碰到手剎車了，」麥奇說，「噁。感覺糟透了。」

「你們兩個做了什麼？」貞恩氣極。「妳怎麼可以？」

「貞恩，」妳語不成句。「我真的很抱歉——」

「妳毀了我的婚禮！」

史提夫還在搖頭，連麗莎都一臉嚴肅。

「貞恩，我——」

「妳快走吧。」茜茜沒好氣。

連鹿頭標本的玻璃眼珠看著妳的時候也閃著指責的光芒。妳撈起內衣褲和鞋子，衝進酒店，雙頰火燙。擔心史提夫害妳出糗真是想太多了。妳這次出的糗才是精采絕倫——而且全是妳自找的。

這裡是絕對待不下去了，再這樣一直羞惱下去，妳可能會有掛掉的風險。所以只有一條路可選。趕快打包走人。妳已經丟臉丟到家了。

（全書完）

今晚是婚宴彩排之夜

今晚是婚宴彩排之夜，妳穿上最心愛的紅色小禮服，戴上一對古董耳針耳環，同時回想著這一天到目前為止是多麼不可思議。

妳確定史提夫現在應該弄懂妳的意思了（畢竟妳搬進自己的房間是很有力的線索），而且妳也下定決心面對那避不掉的「我們沒戲唱了」對談，但妳整天都還沒機會和他說上話。一吃完早餐，茜茜就用婚禮的瑣碎細節將妳纏住不放。妳花了整個早上重複確認妝髮設計師團隊明天會各就各位，又幫著茜茜清點茶蠟，把餐巾摺成扇子形。趁她和花藝設計師還在爭論不休，妳幫她簽收了一籠她打算在典禮結束後放飛的鴿子（妳努力壓下想聯繫英國皇家鳥類保護協會的衝動）。茜茜害妳忙得團團轉，妳根本沒機會和貞恩聊聊她想臨陣脫逃的問題。

妳和茜茜正在測量桌上的餐刀位置，以確保餐具全都依精確的等距離擺放時，多米諾夫婦晃了進來。「妳的男朋友是個奇才，他幫所有的小孩安排了一個板球遊戲。」多米諾對妳說。妳往窗外看去，只見史提夫輕輕地把球拋給曼哈頓或巴黎或東京，其他的幼童在他腳邊玩得好開心。沒多久凱特和麗莎也加入了他們，史提夫說了什麼逗得麗莎放聲大笑。

「他是天神的使者，這是幾個月來我第一次能好好休息。說真的，真不知道沒有他我該怎麼辦。」諾伊說。

過了一會，妳正準備介入調停茜茜和酒店大廚的糾紛（夾心巧克力酥球上用的巧克力顏色不對，一眼就能看出來）時，妳瞄到麥奇、布魯諾和史提夫在早餐室裡同坐一桌。麥奇和布魯諾正因史提夫說的話而哈哈大笑，接著兩人都和他碰拳祝福。要聽清楚他們到底在說什麼有點困難，因為茜茜正在尖叫，廚師在罵髒話，但妳發現布魯諾正向史提夫再三道謝。真是怪得不能再怪了。

妳最後檢查一次自己的妝容，接著走向婚宴彩排的現場，半路與JD擦身而過。他對妳擠擠眼，妳臉一紅，輕輕對他揮個手。至少昨晚有人過得挺開心。

貞恩看起來宿醉得一蹋糊塗，湯姆只比她好一點點。妳被引見給湯姆的父親，一位長得像動作片巨星的飛行員，然後在布魯諾和史提夫中間坐下。

史提夫對妳悽慘地一笑，他絕對收到妳的暗示了。內疚感刺痛了妳的心。妳一直都表現得很卑鄙。至少妳可以當面跟他說清楚，而不是一味躲著他。但第一道菜已經上來了，所以妳這時候不能把他拉到旁邊去談。根據菜單來看，妳盤中這個小巧的食物塔是鼠尾草風味的烤苦苣舒芙蕾佐綠皮南瓜口味權杖餅乾。菜盤上的裝飾比婚宴賓客身上的飾品還多。

「史提夫，」妳趁著侍者上完前菜時小聲說，「有件事我要——」

妳的話被一陣餐刀輕敲玻璃杯的聲音打斷，迪蘭神父站起身來。「親愛的朋友們，我們大家今日為了一個美好的理由在此相聚，貞恩和湯姆即將快樂攜手共度人生。」他停下來，對貞恩微笑，後者看起來十分不自在。「但在我們開始前，我想和各位分享一些事。今天的來賓當中，有位真正無私無我的人。那人擁有一顆黃金般的心。」

一開始妳以為迪蘭神父直直地看著妳，只不過是幫忙茜茜摺餐巾真的沒必要被讚美成這樣。但後來妳發現他目光所及之人是史提夫。「史提夫願意為我的某個慈善機構提供一筆可觀的捐贈款。」神父一度露出為難的神色。「我這一生中有許多時刻都在考驗我如何繼續保持信念，但像史提夫這樣的人和他們無私的慷慨付出，使我重拾信心。敬史提夫！」

每個人都笑著鼓掌，麥奇拍拍史提夫的背。

「他也教了布魯諾和我如何演講，」麥奇說，「謝謝你啦，兄弟。真不知道沒有你，我們該怎麼辦。」

「說得對。」諾伊大喊。連麗莎都喃喃說了些什麼，並且點頭表示贊同。

妳是不是掉進什麼平行時空裡去了？

茜茜站起來。「謝謝您，迪蘭神父。也謝謝你，史提夫，謝謝你對鮮花擺放的建議。我真的也無法想像，沒有你要怎麼辦！現在，我們應該來對一下明天的流程，好讓每個人都可以達成共識。明天早上九點十五分，準時喔，婚宴賓客的髮妝師就位。九點五十分，新娘化妝和美甲師就位。十點四十五分，來賓請前往小教堂……」

妳把耳朵關起來。妳會不會看錯史提夫了？每個人都認為他是某種天神。但是……他對音樂那可怕的品味，還有那些關於自我實現的廢話！

「我做不到！」貞恩的哭聲打斷了妳的思緒以及茜茜的喋喋不休。她從椅子上跳起來往外狂奔而去。

「貞恩！」湯姆臉上的表情幾乎撕碎了妳的心，他跟著追了出去。妳想起身，但布魯諾嘀咕了一句，「最好讓他們自己解決。」

所有賓客全都呆若木雞。經過一段冗長的靜默，大家開始爭先恐後地往酒吧移動。茜茜絞著雙手來回踱步，諾伊在她身邊團團轉。

這時候妳才發現史提夫不見人影。

妳到外面去找他。跟隨著喃喃細語的聲音，妳總算在陽台後方找到了他們，三個人正俯瞰著一個水流不穩的噴水池和更加稀落的玫瑰花園。湯姆、貞恩與史提夫一起坐在長凳上。妳往後退，偷聽了片刻。

「最重要的是，你們是對方的好朋友，」史提夫正在說，「一段感情中最不可或缺的就是這一點。其他的都只是表面工夫。」

湯姆和貞恩都哭了起來。「我們得好好談一談。」貞恩說，「謝謝你，史提夫。」她對他脆弱又悲傷地笑了一下，接著和湯姆並肩走進夜色中，兩顆頭互相依偎，他摟著她的肩。

妳想去安慰妳的朋友，但顯然她和湯姆需要自己的空間。妳希望他們能和好，看到貞恩衝出去時湯姆臉上的表情，已經告訴了妳他們這段感情中所有妳應該要知道的事。他愛她，無論是否想要臨陣脫逃，妳確信她也很愛他。

妳加入陽台上的史提夫。「介意我一起坐嗎？」

他看著妳，稍微坐正些。「我知道妳打算說什麼。我不是笨蛋。我知道我表現得太急躁了。」

妳囁嚅地對躲著他表示抱歉。

「幫我一個忙，告訴我，到底是什麼讓妳對我完全失去興趣？我們一開始感覺還不錯啊。」他說。

該從哪裡開始？「唔，因為你叫我『寶貝兒』。」

他舉起雙手表示理解。「妳說得對。這有點太過頭了。我爸以前都這樣叫我媽，我父母親數年前過世了，所以這個字對我來說並不像其他人認為的那樣，帶有低俗的言外之意。我真的覺得我們很來電，我想自己有點忘乎所以了。」

好吧。妳早就準備好接受這一點。現在是比較嚴重的問題。「還有那些『**沒問題，你行的，老兄！**』相關物品。」

他一臉驚訝。「它們怎麼啦？」

「呃……老實說，它們讓我有點倒胃口。」

他聳聳肩。「我猜每個人口味不同。我把我的DVD拿給麗莎、布魯諾、凱特和迪蘭神父看，他們都笑得樂不可支。」

等等。「樂不可支？你希望他們看完感到好笑？」

「當然啊。我也不認為他們的笑聲是裝出來的。布魯諾還建議要拿一段到他的喜劇節目裡播。」

妳終於弄懂了。「你難道是說……那是模仿秀？」

史提夫看著妳的表情就像妳得了失心瘋。「本來就是啊！我多年來一直想成為喜劇演員。我以為妳會欣賞這一點。尤其在我們初次約會時妳挑了威爾．法洛[8]的電影之後。」

現在妳覺得自己蠢到家了。「我以為你是在為大企業或什麼公司之類做人生教練的。」妳說。

他大笑。「老天，不是。我是導演兼演員。最近工作不是很順，所以我一直都在幫企業做那些可怕的訓練影片，後來我決定拿他們來搞笑。我算很幸運了，之前拍過的一個廣告到現在還有穩定的版稅可以抽，但我也不能整天無所事事——我需要一個可以讓我真正投入的案子。」

「那在車裡唱歌以及對音樂的恐怖品味呢？也是其中的一部分嗎？」

他一臉困惑。至少妳這次講到重點了。

「我想我還是先離開吧。」他說。「很明顯我們已經沒戲唱了，我感覺自己有點像個跟屁蟲。」他站起身來。

「史提夫……等一下。」妳說。

他遲疑著。

妳想對他說什麼？如果他想要妳，妳有辦法無視寶貝兒的問題以及他對音樂的品味，然後再給他一次機會？還是妳想讓他就此離妳而去？

如果妳想請史提夫留下來，請翻至第100頁。

如果妳決定讓他走，請翻至第102頁。

---

8 受過艾美獎與金球獎提名的美國喜劇演員及編劇，演技另類有趣，以絕佳模仿功力聞名。

妳請史提夫留下來

「史提夫……」妳開了口。「我一直在耍白痴。我真的以為你是那種古怪的自我實現大師。看到T恤還有其他的……」

他哈哈笑。「我懂那為什麼會讓妳有點倒胃口了。」

妳深吸一口氣。妳最不希望的就是留給對方哈得要命的印象，但如果妳犯了個大錯怎麼辦？至少妳看得出來，他唯一的問題就是糟糕的音樂品味以及親暱的行為表示，這些要改正都還算簡單。妳這一路上也確實對他有點感覺。連此時的場景都有點羅曼史小說的味道，靜靜流淌的噴泉，搭配夜晚芳香的空氣。這一定是妳和史提夫可以重新來過的徵兆。「我還有沒有機會說服你留下來？如果你現在離開就太可惜了。大家都會很失望的。」

「包括妳嗎？」他問。

「對。」妳回答。

他向妳走近，妳揚起頭看他，閉起眼睛，等著他的唇吻上妳的嘴。

什麼也沒發生。

「不了。我很抱歉，但這是行不通的。我難以相信妳認為我是會對『沒問題，你行的』那種東西認真的人。我沒辦法和欠缺幽默感的人在一起。」他說。

他牽起妳毫無反抗能力的手，很快地握了一下。「祝妳好運，希望我們還是朋友。請替我向所有人道別。」

妳說不出話來，只能眼睜睜看著他和他完美的背影離開。妳想要對他大吼：「我當然有幽默感，我超搞笑的好嗎！回來這裡，我會證明我的有趣程度比……比……」但妳的腦子只剩一片空白，所以妳只能呆呆站在原地。

剛才發生了什麼事？妳真的想去追回那位幾個月以來妳所遇見最適合妳的男人嗎？妳沒辦法再回去加入其他人，所以妳決定偷偷溜上床去舔自己的傷口。雖然妳很想讓自己就這樣一醉不醒，但看來貞恩明天還是會需要妳。妳最好讓頭腦保持清醒。

請翻至第114頁。

妳決定讓史提夫離開

「史提夫……很抱歉今晚必須這樣結束。」妳開了口。

他聳聳肩。「我知道，我只是想試試看有沒有機會。我們應該慢慢來。還是朋友嗎？」

「還是朋友。」妳微笑。

「話說，在我回市區之前——妳要不要看看我的DVD？我一直都想秀給妳看。」他說。

妳想了一下。貞恩和湯姆正忙著解決他們自己的問題，妳想為朋友兩肋插刀，但很明顯她現在應該需要一點空間，更別提回到晚宴彩排現場面對茜茜，她絕對會有上百萬個關於湯姆和貞恩的瘋狂問題要問。「好啊。」妳說。

妳跟著他走向房間，兩人都默不作聲。他退開一步讓妳先進去，妳的手臂輕擦過他的，激出一股愉悅的輕顫，原始的化學作用在空氣中輕聲作響。只是好朋友，妳告訴自己。妳目前最不需要的就是更複雜的關係。

史提夫叫來兩份總匯三明治，接著和妳併肩坐在床邊，留下一段「只是好朋友」的距離，接著按下播放鍵。

妳很久沒有好好捧腹大笑了，妳的腰到現在還在痛。史提夫把自我實現演講模仿得出神入化，很有沙夏・拜倫・柯恩[9]的風格，每個笑點都精準地呈現。妳必須承認這真的非常有趣。

「我看得出來為什麼布魯諾會想在他的節目裡播這個，它真是棒透了。」妳說。

「謝謝妳。」史提夫說，湊過來擦去妳嘴角的美乃滋痕跡。妳絕不會誤認那股滋滋作響的性張力，以及你們之間未完成的那段韻事。

等妳回過神來，妳已經傾身靠向他的嘴，吻住了他。他先是驚訝地後退，隨即也靠了過來，捧著妳的頭回吻著妳，舌頭急切地探入妳口中。之前的焦慮讓妳忘記了被他親吻是多麼美好。當他終於退開，妳又再次迎上去，飢渴地想要更多的他，全部的他。

你們一起跪在床上，面對著彼此。你們一邊親吻，妳一邊解開他的襯衫鈕釦，他將妳的裙襬往上拉，拉到頭部附近才不得不暫停片刻，因為這個吻讓妳連一秒鐘都不想停下來。等你們終於分開來，讓他得以脫掉妳的洋裝，妳狂亂地摸索他的皮帶，把它解開，接著一把從

---

9 英國喜劇演員，被譽為新一代喜劇天王，曾因在《芭樂特》電影中演活自創角色芭樂特而獲金球獎最佳男主角。

皮帶環裡將之抽出，丟到房間另一頭。然後妳脫掉他的牛仔褲，他全身上下只剩下一件幾乎遮不住那雄偉勃起的四角短褲。

史提夫讓妳仰躺在床上，墊了個枕頭在妳腦後，分開妳的雙腿。接下來他俯在妳上方，鼻尖沿著妳的臉頰一路輕滑到妳的耳際，使妳身上每根汗毛都興奮地豎起。他又往妳的脖子和胸口而去，鼻子似有若無地掠過妳的肌膚。

「碰我。」妳哀求。他搖搖頭，瀏海擦過妳的鎖骨，這種挑逗能把人逼瘋。

他解開妳的前扣式胸罩，釋放出妳的雙乳，妳感到他溫暖的呼吸吹拂著乳尖，但他還是沒有碰觸妳，反而依舊用鼻頭、睫毛和瀏海在妳身上到處遊走，妳想如果他再不碰妳，妳會活不下去。

所以妳把他拉到床上躺著，翻身壓住他，跨坐在他身上，感覺他硬邦邦的勃起抵著妳。妳挪動臀部，享受著私處傳來的擠壓。他一手扶住妳的臀，一手伸向妳的胸部，用手指按摩妳的乳房，妳拱起背，乳尖在他指間瞬間變得挺立。

他暫停了一下，伸手到床側拿起盥洗包，取出一個保險套和另一個塑膠袋包著的東西。他把保險套放在床頭桌上，抱著依然跨坐在他大腿上的妳坐起身來，接著攤開手掌，亮出手裡握著的東西。

「這是什麼？」妳問。

「按摩環。」他撕開包裝。這不像妳以前看過的種類。它是粉紅色的，以矽膠製成，能夠精巧貼合他的掌心。它有個圓形拉環，頂端還有個子彈造型的塊狀物。事實上，它看起來像是妳會戴在手上的戒指，只是比較大一點。

「來，感覺看看。」他說，把它放在妳的手心，接著按下子彈的側邊，小東西動了起來，在妳的肌膚上顫動。他又按了一次，震動變得更強，小玩意在妳掌心裡彈跳。

如果妳想試用玩具，請翻至第106頁。

如果妳不想讓事情更複雜，請翻至第109頁。

妳想試用玩具

妳不知道史提夫打算用他的震動小玩具做什麼，但妳等不及要找出答案了。他再次按下子彈，小東西停止不動。接著他溫柔地推妳躺回那張大床上，兩手撐在妳的頭側，沉下身子再次吻妳。妳在他的口中宣告投降，感覺彷彿持續了數小時之久。然後他拿起保險套，撕開包裝。妳幫他戴在他那硬如磐石的勃起上。

接下來，他拿起小玩意打開電源，妳因為好奇而渾身輕顫。他將彈性矽膠環套在勃起的頂端，接著往下越過保險套，確保震動子彈位於他的男根上方。

他跪在床上，分開妳的雙腿，妳感覺他的頂端抵著妳的小穴，從底端傳來的震動逗得妳心癢難耐。他引導著頂端在妳的縫隙來回磨蹭，遲遲不進入。他含住妳一側乳尖，熱燙的舌頭舔著硬挺的花蕾。妳挪動臀部，急切地想讓他滑進妳體內，讓妳鬆了一口氣的是，他照做了。

他愈深入推進，妳就愈能感到那小玩意的震動力量，直到他完全沒入，妳終於完整體驗到那小小震動子彈正電力全開地抵著妳的小蒂。他將妳雙腿推高，膝蓋貼著胸口，好讓他可以插入得更深。但他隨即抽身而出，卻又很快地再次頂入，讓子彈再次摩擦妳的小蒂。抵著小蒂和私處的震顫讓妳整個人陷入狂喜。

妳仰起頭靠向柔軟的被單，緊抓著他的肩膀催促他，再用力些，再快些，讓那股震動傳遞到妳的整個下半身。快感隨著每次衝刺在妳體內積聚，先是漸增，接著蔓延，那股壓力幾乎令人難以承受，直到妳終於到達高潮，高聲叫喊，整間酒店可能都聽得見。

史提夫翻身仰躺在妳身邊，等妳稍微平靜下來。妳背對著他，像牛仔般跨坐到他身上，他得以重新輕鬆滑入妳體內。因為妳並非面向他坐，震動子彈就不再直抵妳那正因為激烈高潮而腫脹敏感的小蒂，反而針對妳私處後方的肉壁，從一個妳不確定是否曾受過如此刺激的地方傳來美妙的電流。

妳緊抓他的大腿，轉動臀部迎向他的每一次衝刺，品味著震動子彈以及你們肌膚相觸所發出的聲音。妳無法相信，但那股強烈的感受再次從妳體內出現，他扶著妳的臀部，輾轉磨蹭，直到妳終於再次高潮，這次妳緊閉雙眼，腳趾蜷曲，無法分辨哪一次高潮的威力更加強大。

史提夫漸漸加快，進入一種瘋狂的速度，從深深地插入到短而有力的衝刺，在妳往下推壓他，並夾緊大腿和私處時呻吟出聲，妳依然可感覺到那小玩意在他勃起上造成的震顫。妳發現如果自己的私處能感覺到每一次的震動，他一定也能感受得到。他捏擠妳的臀部，低吼並顫抖著達到高潮。

妳成大字型躺在他身邊，氣喘吁吁，筋疲力盡。全身上下都還在輕顫。史提夫關掉開關，拿下按摩環丟在床上。在他的親吻、神奇的粉紅小玩具，以及那無與倫比的硬挺勃起加持之下，這絕對是妳這輩子最棒的性愛。

請翻至第112頁。

妳想和史提夫做愛，但不要用玩具

妳戳一下史提夫手心的按摩環，接著環抱住他的脖子，不要管玩具了，妳想要更多那美妙無比的吻。你們的舌尖相觸，妳感到他的硬挺抵著妳的腿顫動，妳的手指沿著他的背輕輕撫摸。

當你們終於因缺氧而分開，妳盯著他的雙眼，一手探往他的胯下，感覺布料下的他立刻起了反應。「妳知道嗎？」妳的聲音像是低吟。「我認為我們不需要外力幫助。」妳拿起按摩環丟到一邊，接著將大拇指伸入他短褲的開口，從側邊撫向他的頂端，惹得他因快感而低叫出聲。

史提夫將妳推回床上，以一連串流暢的動作脫去妳的底褲。接著輪到他，妳幫他一起脫個精光，狂喜地發現那碩長的硬挺正在跳動。

他用兩根長指從妳的小穴來回撫弄妳的小蒂，讓妳拱起身子，妳忍不住抓緊身下的被單，呻吟聲變得清晰可聞。他隨後含住那小小突起，使妳驚喘一口氣，他的手指探入妳體內，將妳撐開。他每次舔弄小蒂的動作都讓妳想要尖叫。接下來，他做了件非比尋常的事，是妳從來沒有體驗過的，他的舌頭像電鑽一樣左右旋轉著探入妳的私處，起先往同一方向，接著又換另一邊，妳全身的神經都在歡唱。

妳實在忍不住了，妳把他拉到身邊，在床上翻滾親吻，四腿交纏，直到你們一起從床上滾下來，跌在稍早前被妳踢下地板的超大床罩上。你們在地板上繼續親吻，笑聲淹沒在彼此的口中。

妳握住他的勃起，上下磨蹭，他的手指來到妳的小蒂，兩人四手開始一起動作。

「現在就上我吧。」妳喘息著，擔心妳會在他還沒進入前就達到高潮，他伸手到床頭桌一陣亂摸，想找回剛才的保險套，兩人哈哈大笑。

他終於拿到了，將包裝撕開，流暢地戴上保險套。妳躺回地板上那柔軟如絲綢般的床罩，他將自己對準妳兩腿之間緩緩推入，眼中只有彼此。他抵著妳搖晃，接著加快速度，搭配著妳的吟叫一下下撞擊深入。

「我想和妳一起高潮。」他喘著氣，妳抬起臀部搭配他的衝刺，促使他更加用力，加快速度，妳渴求著更多，你們雙雙駕馭著極致的快感，直到無法承受，幾乎同時到達高潮，大聲狂喊，手指陷入彼此的肌膚中，在爆發的那一刻緊閉雙眼。

妳的舌尖嘗到些鹹味，妳不知道是汗還是淚，也不知道是誰的。

史提夫癱在妳身邊，妳伸個懶腰，胸口起伏不定，身體的每個角落仍然因興奮而刺痛。

這場性愛絕對是妳這輩子最棒的經驗。

請翻至第112頁。

妳剛和史提夫共享了一場驚天動地的性愛

「你腦中正在想的和我一樣嗎？」當妳終於找回神智，妳對史提夫說。

他點頭。「嗯。抱歉，剛才很荒唐，對嗎？我想我弄錯了。顯然我們根本就不適合。」

妳愣住了。他一定是在開玩笑吧？「你是認真的嗎？」

「妳也有一樣的感覺對不對？一點都不來電。我們在想什麼啊？這絕對行不通的。」

「對……同樣的感覺……不來電……絕對行不通……」妳重覆他的話。妳現在只能感覺到美妙無比的高潮後餘韻。

「我想有時候命中不見得會注定什麼事，」他嘲諷地笑，「但至少我們好好試過一次，現在我們可以做個了結了，對嗎？」他不帶情慾地拍拍妳的手臂。接著看了下手表：「如果我現在離開，回到市區還不算太晚。」

妳無言地躺在棉被堆裡看著他穿回衣服，收起他的DVD。

「謝謝妳邀請我來，請幫我向大家說再見。噢，告訴迪蘭神父，關於贊助索馬利亞學校的事，我會再跟他聯繫。」他毫無雜念地吻了一下妳的額頭。「可惜我們兩個不能成為一對。」他說完就走出了房間。

妳無法置信。妳剛剛讓一個風趣、聰明、超級性感的天神從手指縫裡溜掉了。妳猛跺腳，想要向迷你吧檯衝過去。但妳明天最不需要的就是宿醉和浮腫的眼袋。

那件醜怪的伴娘禮服在衣櫥裡的吊桿上嘲笑著妳。妳想著，不知道貞恩和湯姆的問題解決了沒。無論結果如何，妳最好的朋友都會需要妳在她身邊，把自己變成一個滿肚子伏特加又自艾自憐的邋遢鬼絕對沒有幫助。

等一下，看來史提夫並沒帶走所有東西。妳看到那個震動玩具戒指，拿起來仔細檢視一番。至少他留了一個小東西讓妳紀念他。如果妳整個週末都得當單身女郎，那麼當個有按摩棒的單身女郎可能好一點！

請翻至第114頁。

現在是婚禮當天的早晨

妳喝了口起床咖啡。每個人都在問妳史提夫在哪裡，妳很想把他們全部掐死算了。妳捏造出一個藉口，說他必須趕回去參加某個臨時喜劇研討會，但沒人相信。更糟的是那件桌巾做的禮服還潛伏在妳的房間裡。妳極不願意穿上那鬼東西，但妳必須像個女子漢，為了團隊犧牲自己。

茜茜匆忙奔進早餐室，頂著滿頭超大髮捲。「妳為什麼還沒換衣服？」她對妳咆哮。「而且，貞恩到哪去了？美甲師已經來了。我希望她已經把所有的問題都解決了。」

妳咕噥著說今天早上到現在都還沒看到貞恩，接著任由茜茜把妳趕到髮妝團隊等候的房間裡去，他們正漫天揮舞著睫毛刷和電捲棒。蘿倫阿姨和諾伊已經打扮好了，頭髮也捲好了。化妝師在妳身邊幫妳打底妝，忙個不停。妳瞥一眼鏡子。太讚了。妳看起來就像「魯保羅變裝皇后秀[10]」節目裡的參賽者。

噢，隨便啦。反正也沒機會有艷遇了。史提夫離開了，JD和其他人搞在一起，而妳就算中風也不會考慮麥奇。妳嘆口氣，該是撬開那件伴娘禮服把自己塞進去的時候了。

房門開了，貞恩走了進來。她穿著T恤和牛仔褲。

「總算來了！」茜茜說。

「我有件事要告訴大家。」貞恩宣布。

如果貞恩告訴妳婚禮一切照常進行，請翻至第116頁。

如果貞恩告訴妳婚禮取消了，請翻至第140頁。

10 美國最具代表性的變裝皇后魯保羅（RuPaul）製作的真人實境綜藝節目，男扮女裝的參賽者將在節目中過關斬將贏得冠軍。

婚禮一切照常進行

妳胸口一窒，但妳不確定是因為那件噩夢禮服緊箍著妳，還是妳們全都太過激動。貞恩開心得滿臉發光，看上去比妳所能想像的更美，妳望著她在小教堂門口牽起湯姆的手，差點感動得哭出來。

在她大步走進更衣室並且宣布婚禮一切照常進行之後，妳試著偷了幾分鐘和她單獨談了一下，她向妳保證她對自己的決定非常滿意。

「湯姆和我是最好的朋友，史提夫說得對。到頭來沒有什麼比這一點更重要。」她說。妳真心地為她高興。經歷了這樣一個週末，妳能理解那種想要和一個妳可以信任又彼此熟知的人共度餘生的吸引力。

迪蘭神父清清喉嚨。「如果任何人有理由反對這兩人結婚，請現在提出，否則請永遠保持緘默。」

一個聲音打破了沉默。一個破裂、爆開的聲音。

等一下……為什麼妳的胸前突然感覺如此清涼？妳低下頭，發現身上的伴娘禮服從脖子到腰際裂成了兩半。

茜茜驚恐的尖叫聲打破了緊張肅穆的氣氛。迪蘭神父嚥了一下口水。妳盡力用手遮掩自己的胸前，這動作有點難，因為妳手裡還抓著貞恩和妳自己的捧花。麥奇默默地鼓掌，湯姆的爸爸嘴角咧到了耳根，麗莎放聲大笑。

接著妳感覺有什麼東西披在妳肩上。布魯諾幫妳拿著捧花，讓妳可以穿上他的外套。妳用口型說著「謝謝」，又對貞恩無聲地說了句「抱歉」，後者也用口型回妳「經典畫面」。

布魯諾看著妳的眼睛低語：「別擔心。」

妳感激地看他一眼。誰想得到妳的兒時宿敵會變成妳的救星？

迪蘭神父的臉紅得像個番茄，支支吾吾地繼續主持典禮，在他宣布湯姆和貞恩成為夫妻時，所有人都鼓掌叫好。弦樂四重奏的樂聲響起，妳尾隨這對新人優雅地走下紅毯，試著假裝在鈕釦掉光的馬甲和光裸肌膚外搭一件男人的西裝外套是本季最佳的伴娘禮服。

「真是大出風頭呀。」麗莎湊到妳身邊來。

「哈哈，我還真沒想到會聽到這句話。」

她用手肘輕推妳。「開心點嘛！這場婚禮絕對讓人永難忘懷。」

「對，因為**我**啊。」

「露奶的伴娘。」

妳嘆息。「我早說過我支持女性在公眾場合哺乳吧。」

麗莎翻個白眼，妳們一起咯咯偷笑。麥奇對妳投來一個色色的眼神，麗莎對他豎起一根手指。

隨著貞恩和湯姆離開小教堂，茜茜和其他幾位工作人員也把苦苦熬了很久的白鴿從籠子裡放生。但連其中幾隻鴿子拉屎在茜茜盤得高高的頭髮上這種慘劇，也無法讓妳覺得自己沒那麼丟人。

在歡笑聲中，貞恩丟出了捧花。麗莎接到了，驚愕地大喊之後立刻丟給了蘿倫阿姨，後者也像捧花著火般馬上扔了出去。最後捧花到了凱特手上，妳驚訝地發現自己竟然因失落而微微揪心。

妳試著在走向大廳之前快速回到房間，好把這件破掉的禮服換下來，但茜茜攔住了妳。「妳不能去換衣服！」她發號施令。「妳會和花童撞衫，照片拍出來就不好看。妳拿好捧花遮在胸前就行。」

妳要竭盡全力才能不叫茜茜乾脆把捧花拿去遮屁眼好了，但貞恩今天絕對不想再聽到另一串尖叫。妳妥協地穿著布魯諾的外套直到最後一刻，想辦法熬過拍照階段而不至於讓自己太糗。

妳走進婚宴會場，試著安慰自己。這個婚禮週末不可能變得更糟了，對不對？

不。很有可能。桌布和餐巾真的很配妳裂開的禮服。

致詞都已結束，妳陷在椅子內，喝掉第三杯香檳。妳被安排坐在兒童桌，多米諾夫婦偷偷地把名牌換了過來，正開心地和麥奇以及幾位湯姆的朋友互相虧來虧去。

湯姆的父親站了起來，若有所期地對妳一笑，接著向妳這桌走了過來。他很有魅力，而且身材很壯，但妳希望他不是過來找妳聊天的，經過了剛才的禮服大崩壞，妳實在沒心情閒聊。多米諾家某一個孩子（曼哈頓？蒙特婁？摩加迪休？）宣布她想要去噓噓。

「妳要我陪妳一起去嗎？」妳問。

「我又不是小娃娃。」她傲慢地回答。很好，連小孩都把妳當白痴。

湯姆的爸爸半路被蘿倫阿姨攔了下來，妳如釋重負地吐出一口氣。

那個小女孩衝回桌子旁。「兩個女生在親親耶！」她尖聲說，「我看到兩個女生在親親！有一個人是粉紅頭髮。」

妳目瞪口呆。她說的人只可能是麗莎。

「來，看這裡，莫斯科或是馬普托，或不管妳叫什麼名字，亂編故事是很沒規矩的喔。」

妳厲聲說。

「可是我真的看到她們親親嘛！」她的聲音像警鈴一樣拔高。「而且她們還互相捏奶奶耶。」

噢，糟糕。妳衝進走廊，恰好看到凱特和麗莎從旁邊某個凹室走出來。

「麗莎！」妳嘶聲說。

麗莎轉身，發現妳在看她，笑得滿面春風。凱特低聲對她說了什麼，對妳拋來一個難解的眼神，隨後緩步往房間的方向走去。

「妳在幹什麼啊？」妳問。

「我能說什麼？我這輩子第一次遇到性格好又不無聊的人。」

「但是……凱特有男朋友啊。」麗莎這個人可能有不少缺點，但她絕對不會做第三者，妳從來沒看過她背著誰亂搞。

「發生什麼事了？」妳身後冒出小孩的聲音。「妳也要親那個小姐嗎？」

「我待會再跟妳解釋。」麗莎對妳說，毫無一絲愧疚，隨後追著凱特而去。

妳偷偷溜回晚宴現場，幫那些小鬼把搭配野菇杏桃內餡的雞胸肉切成小塊，同時徒勞地希望他們真的能乖乖吃掉。但他們會讓〈廚神當道[11]〉的評審看起來溫和的像泰迪熊。小鬼們公開宣稱那道蘆筍松露佐西洋菜天婦羅的湯很像某種「黏液」，妳默默表示同意。連多米諾家族中最有禮貌的成員老鼠尤達貝（牠正安全地躲在桌下的籠子裡），也對它撇開了頭。

某人碰了碰妳的肩膀，妳抬頭，是布魯諾。「妳有沒有看到凱特？」他問。

妳兩頰發燙。「呃，我想一下。我有看到凱特嗎？怎麼了？」妳只能做到這樣了。

「她應該要去布置新娘房，但人不見了。茜茜架著我的脖子要我去代替她，但我對這些真的不在行。我猜妳也不會想來幫我忙吧？」

嗯哼。這可以給妳一個避開晚宴的理由。因為如果再有人拿胸部開玩笑或斜眼打量妳，妳就要衝上去咬人了，而且還可以逃離兒童桌。但經過剛才目睹的情形，這時候和布魯諾獨處會不會太尷尬？

「來吧，我保證在第一支舞開始前放妳回來。」他說。

妳實在沒辦法拒絕。以開心到都有點內疚的心情，妳告訴多米諾夫婦妳不能再當他們的免費保母了，接著和布魯諾一起溜了出去。

茜茜留了一籃玫瑰花瓣和一瓶冰鎮的香檳在新娘房外面的走廊上。妳讚賞著這房間的富麗堂皇——簡直可以睡下一家人的四柱大床，閃亮的水晶吊燈，大量的珠光絲緞鋪垂在每個角落，同時一邊漫不經心地把花瓣灑在房間四周。

「嘿，怎麼回事？這是婚禮，不是喪禮啊。」布魯諾問。

---

11 源起於英國的烹飪實境秀電視節目，現已有多國版本。評審均為世界頂尖廚師或餐飲業相關大亨，以毫不留情的嚴苛評語聞名。

「我沒事啦。」妳撒謊。

「拜託，小臭妹。妳心裡有事。」

該死。妳詛咒麗莎害妳陷入如此境地。畢竟布魯諾在婚禮上救了妳，雖然你們可能燒過彼此的頭髮，砸爛過對方最心愛的寶貝，但沒有人應該遭受被劈腿的待遇，對嗎？

妳該怎麼做？

如果妳決定告訴布魯諾有關麗莎和凱特的事，請翻至第123頁。

如果妳決定自己知道就好，請翻至第135頁。

妳告訴布魯諾有關麗莎和凱特的事

「布魯諾……我不知道該怎麼告訴你，但是……」當個誠實的人怎麼這麼難啊？

「要說就說吧，別拖拉了。」

「呃……是凱特。她和麗莎……這種事要婉轉道來很不容易，但是……」

「什麼？妳是想告訴我她們兩個搞在一起了？」

「你知道？」

「當然啊。」

「但她是你的女朋友。」

「不，她不是啦！」他開始大笑。「妳沒發覺凱特是同性戀喔？我們只是很好的朋友。」

「噢。」

「如果我自己一個人來參加婚禮，就得乖乖聽我老媽那永無止盡的碎唸。『你為什麼還沒女朋友？你什麼時候才會碰到一個好女孩？』妳知道我老媽是什麼樣子的啦，講到婚禮和孫子，她就會像唱片跳針一樣重複不休。我愛她，但一直聽她碎唸真的很累。所以好心的凱特就自願陪我來，當我的擋箭牌。」

「噢。」妳似乎只能說出這個字。

「老媽好像沒辦法理解，我不想只是隨便找個伴。我在等某個特別的人……開竅。」

「開竅？」妳輕聲問。

「對，有個我認識了很久的女孩子，我得等她發現我小時候是多麼喜歡她。」他的聲音略帶點沙啞。「而且我想，我現在依然喜歡她。」他從西裝領口上拿下那朵康乃馨，那件還穿在妳身上的外套。

「對了，謝謝你……」妳發出的聲音有點刺耳，腦子的運轉速度幾乎和砰砰作響的心跳一樣快。「在婚禮上以那種方式救了我。」

「我的榮幸。只是……現在變得有點冷了。」布魯諾拉住西裝的翻領，輕輕將妳帶向他。他聞起來有鬍後水的味道，妳壓抑住把臉埋在他頸間的衝動。妳可以感到他拉著外套前襟的指緣抵在妳的胸口。

「是嗎？」妳說，「很妙，因為我開始感覺有點太熱。」

「那妳應該不介意把外套還給我。」布魯諾用一隻手指從妳的下巴開始，往下滑過妳的脖子，非常緩慢又帶點試探地來到妳的胸前，外套的V型領口剛好顯出妳的乳溝，接著往下，往下，再往下，沿路輕鬆地解開外套上的每個鈕釦。他的手指在肌膚上的觸感如此柔軟，妳呼吸一窒。

「你現在要拿回去嗎？」妳低聲問。

他盯著妳的雙眸。「馬上就要。」

妳想和布魯諾更進一步，請翻至第126頁。

妳想回到婚宴現場，請翻至第138頁。

妳想和布魯諾更進一步

妳的喉頭緊縮。忽然無法忍受他的注視。好奇怪，在一個妳幾乎認識了一輩子的人面前感到害羞。

「布魯諾……」

「或許……」

你們同時開口。接著他搖搖頭。「唉，算了。來吧，我送妳回婚宴現場去，好嗎？」

「你是不是忘了什麼事？」

他轉身折返，妳脫去外套，雙峰毫無遮擋地展現在他面前，他的視線使妳的乳尖硬了起來，他嚥了下口水。

接著他向妳走來，妳向前半步，緊摟著對方，大笑著喘息，但在彼此的臉愈靠愈近，互相磨蹭時，笑聲便止住了，妳有點猶豫，不想打破這嶄新的魔法，妳輕輕吻住他的唇。接著他張開嘴，你們舌尖相觸，依然帶點不確定，但還可以接受，有一種直截了當的合適、熟悉和溫暖，你們貪心地吞噬著對方，他的手來到妳的肩膀，和那件該死的禮服搏鬥。

妳轉過身，他獸性十足地將拉鍊一把拉下。能從那團硬邦邦的布料中解脫出來的感覺真好，當布魯諾上前一步貼著妳時，感覺更美妙。他拂開妳脖子上的髮絲，接著吻上去，輕輕嚙咬，雙唇下移擦過妳的頸背，沿著肩膀移動，又咬又吻地一路直到手臂上方。

妳全身輕顫，慾望和期待交織，隨著他在脖子另一側重複整套動作，即使隔著厚厚的裙襬，妳還是能感覺到他的勃起。我的老天啊，誰知道他如此天賦異稟？

妳在他的懷抱裡轉身。「幫我脫掉這鬼東西。」妳懇求。即使你們聯手合作，這件禮服仍然奮勇抵抗，當妳顫巍巍地踩著高跟鞋跨出那團衣物，卻突然失去平衡，身子一斜就跌到柔軟的地毯上，壓碎了好些玫瑰花瓣。布魯諾被妳一起拖到地上，你們躺在彼此的懷中，而妳只穿著底褲和高跟鞋。

你們四目交投：妳知道這已經是條不歸路了。布魯諾溫暖但微微顫抖的手按上妳的小腹，接著用一隻手指探進妳底褲的鬆緊帶下緣，視線依然牢牢鎖著妳。

「對了，對，求你。」妳輕喘。妳雙手往下，把那一小片蕾絲和棉布脫掉，他也助了妳一臂之力。

「換你了。」妳往他的襯衫和領帶出手。妳開始解他的鈕釦，嘴裡咒罵連連，但他只是輕鬆地把襯衫從頭上脫掉。鞋子、襪子、長褲，最後被丟到房間角落的是底褲，接著以具備不同質感和輪廓、一絲不掛的身軀貼上妳。

當妳退開欣賞他的身材時，他似乎有點在意，但妳喜歡他那壯碩的體格、胸前的毛髮、結實的臀部。他的皮膚摸起來如此柔軟，還有那碩大驚人的硬挺：黝黑、厚實、鼓脹。妳握住它輕捏了一下，他愉悅地低吼。

接著妳靠向前，舔弄其中一邊小巧的深色乳尖，接著換另一邊。他愉悅又挫折地哼著，當妳改用牙齒輕咬，他拱起背，勃起在妳手中彈跳。

「小心點，不然這場秀會很快結束。」他低喘。他讓妳仰躺著，雙手撐在妳肩上，低頭對妳微笑。妳心想，老天啊，這是布魯諾耶，經過這麼多年後的布魯諾。接著他再次吻妳，深深地吻，舌頭與妳纏綿不放。

他的手滑進妳腿間，妳對他毫無保留，在他的手指初次撫上妳的小穴時嘆息，隨後就感到他撥開了私處的唇瓣。

「妳好濕。我可以看嗎？」他呢喃。

妳臉一紅，但如此親密的要求卻為妳的小腹帶來另一股全新的熱流。

「好吧。」妳輕聲回答，張開雙腿讓他得以跪在中間。他輕推妳的大腿，妳屈起膝蓋，對他敞開自己。

妳很少像這樣暴露自己，但在布魯諾面前妳感到安心，長期的熟悉感提供了慰藉，但彼此之間那股電流確實讓妳吃驚。

妳感覺他撥開了妳的私處，手指抹了些滑溜的愛液。接著他溫暖的呼吸湊了過去。妳在他緩緩舔弄妳的小縫時呻吟出聲，他輕舔著開口處，接著往上，以令人瘋狂的慢動作來到小蒂，同時又以手指插入妳的小穴，輕輕勾弄，妳忍不住拱起背。

在他舔弄妳的小蒂以及手指來回探入私處之下，妳驚奇地意識到，這種雙重的感官刺激讓妳就要瀕臨爆發，他應該也感覺到了，因為他爬回來躺到妳身邊，但手依然在妳的腿間。

不過妳還來不及感嘆他嘴唇的離開，他就改用拇指按上妳的小蒂，輕輕畫著小圈，手指繼續在妳濕透的私處探索。

雙重的感官刺激，強烈的快感內外夾攻，妳無助地來到崩潰邊緣。隨著高潮的爆發，布魯諾適時用手撐住妳的脖子，穩住妳顫抖不已的身體，直到妳意識開始模糊。妳昏昏欲睡，像個破布娃娃一樣癱軟無力，但心滿意足。

妳終於睜開眼睛，發現布魯諾就在幾公分之外看著妳。「我猜妳剛才是來真的？」他微笑。

「如果我是貓，我現在就會滿足地打呼嚕了。等等，你怎麼辦？」

「沒有保險套啊，但我也不想去求麥奇分我幾個，以免破壞心情。」

妳嗤嗤笑起來。「那真的會很掃興。但我的手還算靈巧囉。」妳再次向他身下那壯觀的勃起伸出手。「我知道這樣親熱太像青少年了，但不如來做個三明治如何？」妳抬腿跨上他的臀部，用妳灼熱的身體夾住他。

就在那一刻，房門大開，妳聽到茜茜那絕不會認錯的嗓音：「你們到底為什麼搞了這麼久？」

看到你們兩個赤條條地趴在地上，她愣了一下。「噢我的聖彼得啊！」她大喊，衝進臥室裡面抓起那半籃玫瑰花瓣。「是不是什麼事都要我自己做才行？」

你們兩個咯咯傻笑，沿著走廊跌跌撞撞地離開，隨意穿回了些衣服，但鈕釦和拉鍊都弄得亂七八糟。「自從我在茜茜的新娘芭比臉上畫鬍鬚之後，我就沒看過她抓狂成這樣了。」布魯諾喘著氣。

「但我們被茜茜打斷了。」妳說。

「我現在麻煩大啦，根本沒辦法站直了走路。」布魯諾招認。

「我不想掃興，但這是你妹妹的結婚喜宴。而且我是她的伴娘。」

「我也不想承認，但妳說得對。我們回去加入其他人吧。但有兩個條件。一個是妳要陪我跳舞，我才知道這不是在作夢。然後晚一點，我們再來跳一段只屬於我們兩個人的舞。」

「成交。」妳說，在他唇上印下一個吻。雖然如此，但妳心裡有數，就像所有懂事的成年女性一樣，妳房內都會預藏一個救急用保險套——妳迫不及待想更加認識他的身體。如果把他拐走來頓性愛快餐，會不會太惡劣？或者妳還是應該先回到婚宴裡，忍耐著讓時間慢慢流逝，直到再晚一點再說？

如果妳想把布魯諾拖走來頓性愛快餐，請翻至第132頁。

如果妳想回到婚宴現場，請翻至第138頁。

妳決定和布魯諾來頓性愛快餐

妳一腳把臥室門在身後踢上，今晚二度把布魯諾扒光。他脫妳衣物的動作也一樣快，這次你們裸裎相對時已毫無之前的羞澀。

接著你們再次親吻，舌尖在彼此口中翻攪，笑著喘息，布魯諾推妳倒退著走向床邊，雙雙躺了下去。他半俯在妳身上，像永遠不夠般地吻著妳，妳撫摸他的背，大膽地捏擠他的臀瓣。

「誰想得到最後是妳抓住了我？」他在妳耳邊輕笑，妳以掐他屁股和咬他肩膀做為懲罰。接著妳把他翻個身，妳想仔細近距離欣賞那雄偉的勃起。

妳跨坐在他身上，再次悠緩綿長地吻他之後，說：「往南去吧。新大陸亟待開發。」接著在他身上扭動著往下移。妳慢條斯理地調整位置，輕輕由上往下向他的男根吹氣，他一個痙攣，低吼出聲。

妳隨後以極度細緻、貓咪般的舔拭逗弄著他，舌頭掠過那火熱細膩的私密肌膚。同時一手探入他腿間，捧起他的囊袋輕柔按摩。妳不急不緩地含住他的頭部，噘起嘴來，用舌頭玩著頂端的小縫。

布魯諾深陷妳調皮的折磨，雙手捧住妳的胸部，妳再往下含深一點，更加用力吸吮，輕輕轉頭讓他感受妳口腔兩側的柔嫩。

「我的天，我快射了，可以慢一點嗎？」他粗重地喘氣。

妳不情願地任由他滑出口中，但雙手仍然戀戀不捨地輕捏他的囊袋。

「剛才太美妙了，妳真了不起。」布魯諾幾近失神地喃喃說著。他繼續溫柔地揉捏妳的雙乳，妳收到暗示，用乳間深邃的溝壑夾住他的勃起。宛如喀什米爾羊毛的肌膚觸感簡直不可思議，脈動的熱力也一樣。他推擠妳的雙乳，把他的硬挺夾在中間，臀部輕輕抽送。妳掌握到節奏，開始擺動身體，享受他的勃起在妳的乳溝中熱情地滑動。

布魯諾的呼吸開始紊亂，妳微微抽身，但太遲了，他悶吼一聲，在一陣抽搐中到達高潮。

妳覺得自己就像神力女超人，從床頭桌邊抽了些面紙遞給他，然後蜷縮在他的身側。

「剛才算是對我的讚美吧？」妳說，他的呼吸慢慢平緩下來。

「絕對是。」布魯諾轉頭，輕吻著妳的額角。

妳懶懶地把玩著他的胸毛。「我還有個好消息。我的盥洗包裡有個救急專用保險套。」

「這真是好極了！但或許我們應該留到婚宴之後，到時我們就有整晚可以用來……跳妳答應我的那支慢舞。」

「你說了算。」

請翻至第138頁。

妳決定自己知道就好

「來吧，說出來，能有多糟呢？」布魯諾說。

「糟透了，」妳說，「真的真的很糟糕。」妳坐到床上去，布魯諾坐在妳身邊。

「好吧……這樣如何？如果我告訴妳一個祕密，妳就告訴我妳的心事？」

「不要。」

他大笑。「反正我還是想告訴妳。妳知道我暗戀過妳好幾年嗎？」

妳幾乎嚇得跌下床去。「但你燒我的頭髮！而且你整個暑假都想用牛糞把我埋起來。」

「妳真的不知道嗎？那就是十一歲的男孩表示愛慕的方式啊。我整個高中和大學生涯都在想著妳，但妳總是和那些酷哥在一起，我只不過是妳死黨的胖胖書呆子哥哥。」

妳徹底被嚇到了。但他女朋友怎麼辦？如果麗莎得手了的話，很快就要變成前女友了。

「妳真的一點感覺都沒有？」他問。

「我得老實說，牛糞實在沒什麼幫助。」妳說。

「那什麼才對妳有幫助？」他靠過來，捲起妳的一綹髮絲在手指上把玩。

「凱特怎麼辦？」妳問。反覆對自己下咒語：我不會告訴他凱特和麗莎的事，我不會告訴他凱特和麗莎的事……

「她怎麼啦？」

「她是你女朋友啊！」

布魯諾瞪著妳，接著開始大笑。「這想法是哪來的？凱特是我最好的朋友，而且她是同性戀。她建議陪我一起來，好讓我媽不會用碎唸把我逼瘋。『布魯諾，你什麼時候才會遇到一個好女孩？布魯諾，你為什麼還是孤家寡人？布魯諾，你什麼時候才要結婚，然後讓我抱孫子？』老媽真的會害我變得脾氣暴躁。但我也不能告訴她，我為什麼到現在還是單身，是因為我發瘋般地一直猜想某人是不是還把我當成討人厭的十一歲小男孩。」

「噢。」

「除此之外，妳沒發現凱特看上妳的朋友麗莎了嗎？她們初次見面就為對方神魂顛倒了。我是說，妳一定是瞎了眼才會沒看出來。」

這說的是妳沒錯。瞎了眼。只要看看妳把妳和史提夫的關係搞得多複雜。雖然妳赫然驚覺今天一整天幾乎沒想起過他。而現在又……

妳怯怯地一笑。「剛才我不敢告訴你的就是這件事。我看到她們在一起，我不知道該怎麼處理，或是說出來。」

布魯諾站起身，微笑著伸出一隻手。「來吧，妳為什麼不先去換下這身衣服，以免有人把花瓶或餐具排列在妳身上？然後我們可以回到宴會裡。或許妳還可以考慮一下與我共舞。」

妳點頭，感覺脈搏有點加快。他什麼時候變得如此魅力驚人？

請翻至第138頁。

妳決定回到婚宴現場

餘興節目暫時打住，妳很快地套上另一件禮服，簡潔的黑色款式搭配端莊優雅的高領，以及美麗的大露背設計。妳迅速補好妝，注意到妳的臉頰有多麼紅潤。

回到婚宴現場，湯姆和貞恩正在舞池中輕輕搖曳。布魯諾在主桌旁等妳，看到妳時眼睛一亮。

「請？」他說，一首慢歌響起。妳點頭，他把妳摟進懷中。

蘿倫阿姨將麥奇牢牢抓在手裡，或者反過來說（不管怎麼形容，那兩人就像是貓發現了奶油），多米諾夫婦也跳起了慢舞，一群幼童掛在他們的腿上，茜茜有點太過熱情地摟著湯姆的爸爸。

發現妳和布魯諾在一起，貞恩瞪大雙眼，接著露出一個大大的笑容。「我不敢相信！我以為你們兩個永遠不可能成為一對！」湯姆帶著她轉圈，她開心地笑著舞開。

布魯諾在妳髮際輕笑。「我猜這表示我再也不能叫妳小臭妹了。」

「噢，難說。我開始覺得那些牛糞還蠻親切的。」妳回答。你們一同大笑起來，鼻尖相抵。

「我也許會考慮饒恕妳殘忍又無理地對待我的動感超人玩具。」

「布魯諾，閉上你的嘴巴，然後吻我。」

（全書完）

貞恩告訴妳們婚禮取消了

「婚禮取消了。」貞恩宣布。

茜茜尖叫起來。真的是放聲尖叫，連向來波瀾不驚的蘿倫阿姨都一臉慌亂。

妳抱住貞恩。「我很遺憾！妳確定這是妳要的？」

貞恩微笑。「各位，請跟我來。」

茜茜喘得上氣不接下氣，必須給她一個棕色紙袋才能好好呼吸。妳們全都跟著貞恩走出去，發現一臉如釋重負的湯姆站在禮車旁邊，妳從未見過他如此快樂，後車窗上用泡沫寫著「不婚誌慶」。

「所以你們兩個還是在一起？」妳問她。

她點頭，妳鬆了一口氣，幾乎站不穩。

即使數公分厚的粉底也遮不住茜茜灰敗的臉色。她終於找回了聲音。「但是……但是……這些都是我的心血！那些花！那份菜單——我花了好幾個月籌備的。還有鴿子——

妳知道在婚禮旺季要弄幾隻白鴿來有多麻煩嗎？而且善待動物組織還鬼鬼祟祟地在附近監視？還有……那些天使造型的單支燭臺是我從峇里島帶回來的！妳怎麼可以這樣對我？」

貞恩態度堅決。「無意冒犯，茜茜，我真的很感激妳為這一切付出的努力，但這種形式……不是我要的。也不是湯姆的風格。」貞恩頓了一下。「不過蜜月旅行已經付錢了，所以我們想，為什麼不拿來利用一下呢？」

茜茜含糊不清地說著鍍金茶蠟的事，然後哭了起來。

「茜茜，希望妳了解。這才是我們真正想要的。」貞恩說。她對每個人拋了個飛吻，開心地爬進禮車。

其他的賓客大部分都經過精心打扮，衣冠楚楚，此刻聚在車道前和他們揮手道別。貞恩的母親伏在丈夫的肩上哭泣。

湯姆按了按喇叭，接著發動引擎，飛馳而去。

一等他們離開視線，大夥就陷入一段長長的沉默。接著麥奇說：「我們有食物，也有酒，還有音樂。它們全都浪費掉就可惜了。」

茜茜怒吼一聲，向著湖邊衝去，高跟鞋在草地上走得東倒西歪。

「妳怎麼說？」麥奇轉向妳。「我們讓派對開始吧？」

如果妳決定加入麥奇一起徹夜狂歡，請翻至第143頁。
如果妳決定跟著茜茜走，請翻至第151頁。

妳決定加入麥奇一起徹夜狂歡

媽呀。

妳緩緩睜開眼睛，早晨的陽光從窗內斜斜射入，使妳瑟縮了一下。妳的腦袋感覺像是擠滿了蜜蜂，而且妳現在極度想要喝杯水。

等等……這房間看起來很陌生。比妳的房間大多了。從四處插滿百合的花瓶、亂七八糟撒了一地的玫瑰花瓣來看，這應該只會是一個地方——新娘套房。而妳正躺在新娘床上，旁邊是堆得像山一樣的枕頭和棉被。

妳在這裡做什麼？更重要的是，妳昨晚做了什麼？妳記得在酒吧和麥奇喝了一杯，旁邊還有迪蘭神父、茜茜、布魯諾和麗莎，以及不少其他賓客。麥奇拿出一瓶他上次旅行帶回來的南非烈酒，你們全都喝了一、兩杯那玩意。

妳有個模糊的印象是和麗莎及凱特就著曲子跳了支慢舞，接著又和一群賓客——包括迪蘭神父、麥奇、布魯諾、蘿倫阿姨和ＪＤ一起大跳康康舞。

妳就記得這些。

妳伸手搓揉頭髮，髮絲不但糾結成團，聞起來還有杏桃酒的味道，其中一綹不知勾到什麼東西，讓妳痛了一下。妳把左手拿到眼前，小心翼翼地檢視。

哦，可惡。

妳左手無名指戴了個金戒指。貞恩的結婚戒指。妳現在怎麼隱約想起了自己咯咯笑著說出「我願意」？

馬桶沖水的聲音讓妳哆嗦了一下。妳屏住氣息，等著看誰會從浴室裡走出來。

如果是麥奇，請翻至第145頁。

如果是布魯諾，請翻至第148頁。

那個人是麥奇

門打了開來，麥奇走進臥室，全身上下只穿了一件看起來像是女性底褲的東西。噢，老天。喔，不要吧。妳竟然醉到嫁給這個全世界最糟糕的花花公子。這男人會讓老虎・伍茲變得像是西藏僧侶。他竟然還穿著女人的內衣褲。從顏色（亮粉紅色）來看——那甚至不是妳的東西。

「早安。」他用一隻手梳過頭髮。「妳能幫我請客房服務送一加侖咖啡上來嗎？」

妳感覺自己的下巴掉了下來。

「麥奇？」一個女人在浴室裡喊。蘿倫阿姨婀娜多姿地走了出來，身上除了一件黃色T恤外，什麼也沒穿。

「早安，親愛的。」她面不改色地向妳打招呼，伸著懶腰，打個呵欠，就好像眼前這是世界上最正常的情況。她看了眼麥奇的內褲。「調皮鬼。我正在找它呢！」

妳的視線從麥奇轉向蘿倫阿姨，接著又轉回來。

「抱歉，我們吵醒妳了是嗎？」她說。「麥奇和我一起泡了個澡。我一直都很喜歡按摩浴缸。它讓我想起了某次樂團[12]巡迴結束後，我和米克、布萊恩、瑪麗安一起在加州馬爾蒙莊園酒店中度過的那個狂野週末。」

妳舉起手，晃了晃無名指。「你們有誰可以解釋一下這個嗎？」

「妳堅持要幫忙保管它的啊。」蘿倫阿姨說。「戒指本來在麥奇手上，我們玩脫衣撲克的時候，他威脅說要拿它來下注。妳一直傻笑個不停，對我們所有人嚷著『我不願意』。」

「我玩脫衣撲克？」

「這還不是昨晚的全部實況，親愛的。」蘿倫阿姨說。她轉向麥奇。「準備好來第三回合了嗎？水還熱得很呢。」她對妳眨眨眼，再次柳腰款擺地走回浴室裡去。

麥奇一臉靦腆。「我想我找到對手了。」

他尾隨她而去，卻又轉過身。「幫個忙，我的頭快炸開了，想辦法小聲一點吧。」

「我？」妳問。

他點頭。「昨天晚上你們兩個傢伙真是吵死人了。」

「兩個？你的『兩個』是什麼意思？」

妳旁邊那堆被褥動了一下。

心臟跳到了喉嚨口，妳掀開被單往裡頭看，有個男人睡在妳身邊。一個滿頭蓬亂黑髮的男人。他伸個懶腰，一邊打著哈欠一邊看妳。

是布魯諾。

妳全都想起來了。在撲克遊戲結束之後，麗莎和凱特一起偷溜了出去，把妳和布魯諾單獨留下。他解釋了他和凱特只是朋友，還提議如果新娘房的香檳浪費掉就太可惜了。然後就……

他賊賊地一笑，伸手環抱住妳的腰。「準備好接受第五回合了嗎？」他問。

（全書完）

12 這些人是「滾石樂團」的成員及其女友。

那個人是布魯諾

布魯諾走出浴室，腰際圍了一條毛巾。

妳做了什麼？

「早呀。」他說，對妳淘氣地一笑。

妳嚥了一下。「呃……布魯諾……昨天晚上……我們……？」

「我們什麼？」

看起來妳得講清楚才行。

房門被猛力撞開，麗莎走進來。「驚喜！」她捧著裝了柳橙汁、吐司和蛋的托盤。「我猜你們兩位可能想要吃點早餐。你們昨晚都累壞了。」

她把托盤放在陽台的桌上。「麗莎，我想我可能做了一些事情很——」妳說。

妳的心在凱特拿著咖啡壺進來時往下一墜。現在見鬼的是怎麼回事？「凱特……我可以解釋。」妳結結巴巴，指著只圍了條毛巾的布魯諾。但其實妳想解釋什麼？說妳可能不小心嫁給了她的男朋友？

「妳來啦？美人。」麗莎說。她接過凱特的咖啡壺，伸手勾著她的脖子，柔情萬千地吻她。「去游個泳怎麼樣？」

妳偷瞄布魯諾。對於他的女朋友吻麗莎，他似乎絲毫不以為意。

「但……你和凱特不是一對嗎？」妳問他。

麗莎哼了一聲。「老天，妳昨晚真的醉昏頭了，對嗎？凱特和布魯諾只是好朋友啦。」

「喔。」妳試著回想是不是還漏掉了什麼，以及昨晚到底還發生了什麼事。

凱特和麗莎一起笑著離開了。

妳用被單包裹住赤裸的身子。布魯諾坐在外面陽台的桌旁，妳加入了他，刺眼的陽光讓妳瑟縮了一下。

「所以我們怎麼會走到這一步的？」妳問。

布魯諾遞給妳一杯柳橙汁和塗好奶油的吐司麵包，好像你們已經是老夫老妻了。「妳記得的最後一件事是什麼？」

「呃……我們一群人在跳舞。」妳喝口果汁。它宛如天降甘霖般滋潤著妳乾涸的喉嚨。

「布魯諾……昨晚，我們有沒有……？」

布魯諾搖搖頭，揚起嘴角。「沒有，妳基本上已經不省人事了。我們全都一樣。在告訴整間屋內的人妳愛他們之後，妳就抓著我瞎扯，說妳想要報當年的仇。」

這聽起來還不太糟。「繼續。」

「妳把我拉到田裡，把我推進牛糞堆。之後我必須沖個澡，既然我們兩個都找不到自己的房間鑰匙，最後就來這裡了。房門沒上鎖。」

妳想起了戒指。妳舉起手。「但是等一下……這個呢？」

「噢，那個啊。在牛糞意外之後，妳決定我們之間的恩怨就此一筆勾銷。妳說服麥奇把貞恩的戒指給妳，然後逼著迪蘭神父幫我們證婚。」

「我？」

「妳。」

「你為什麼不阻止我？」

「別緊張。這沒有法律效力啦。我們只是在鬧妳。」

妳用手抱著頭，從指縫間偷看。「那我們有把整套不合法婚姻流程做完嗎？」

布魯諾津津有味地咬下一口吐司。「還沒，但我們中午才需要退房。」

（全書完）

妳決定去安慰茜茜

妳在湖邊的某棵樹下，發現茜茜蜷縮在柔軟的草坪一角。她的臉藏在臂彎裡，肩膀抖個不停，正無聲地哭泣。

妳不知道該怎麼辦。妳從來沒看過茜茜這個樣子。就像許多控制狂一樣，她擅長的是對付人生。與其掉下眼淚，還不如擦乾它們。

「喔，茜茜，不要這麼傷心。」妳說。

頭仍舊埋在臂彎裡，茜茜邊打嗝邊說。「我只是想讓我的小妹妹擁有全世界最完美的婚禮。」

「我知道，而妳也做得非常成功，真的。但我想貞恩到如今才弄清楚自己真正需要的是什麼。」

「我懂，我也真心為她高興。這可能也是我哭的部分原因，幾個星期沒睡好也是原因。那些該死的鴿子！我對這場婚禮比貞恩還緊張。」她抬起頭。雖然淚眼汪汪，但妳發現她的眼妝竟然沒花掉。典型的茜茜，她一定擦了防水睫毛膏。

「噢，茜茜，別哭了。」妳湊過去擦掉她臉上的淚珠。「妳會把妝哭花的，可惜了這張漂亮的臉。」

「妳是這麼想的？」

妳仔細看著她。妳幾乎是和這女人一起長大的，她的五官妳很熟悉，但妳發現自己從來沒有好好看過她。妳從來沒注意過她顴骨的弧線或是眼角周圍的小小笑紋。

「我真的這麼想。我認為妳的眼睛非常迷人。」

「妳一定也認為我是個超級賤女人！我整個週末都像隻怪獸，對每個人呼來喝去。」

「好吧，妳可能有點像是酷斯拉上身，但誰能怪妳呢？要統籌這麼一件大事，妳非得蠻橫霸道和頤指氣使啊。」

妳坐到茜茜身邊摟著她的肩，撫摸她的頭髮。她輕吻妳的臉頰，淚水沾濕了妳的臉。這是不帶情慾的摟抱，但妳還是感受到暗潮洶湧。

茜茜拉開一些距離，妳們四目相望，有某種東西在妳們之間交流，某種了解，或是渴望。婚禮帶來的瘋狂讓妳們倆都變了個人。妳知道她是異性戀，妳也是，但她撫摸妳的感覺如此安慰，她的脆弱令人著迷，妳只想消除她受到的所有傷害。

於是妳回吻她，這次吻上她的嘴角，妳不知道她是失手還是故意為之，妳吻她時，她臉一偏，妳們吻住了彼此的唇。

過了一會，妳們同時試著用舌頭探索對方，她的舌頭伸進妳口中，帶來一種甜蜜的震撼。對妳而言是全新的感官刺激，妳從未體驗過這麼柔軟服貼的唇瓣。

妳纏著她的舌，起初兩人都有些不安，妳知道這對她來說一定也是全新的經驗，就像妳一樣。但感覺如此美好，妳漸漸迷失了自己，她也是。

妳終於躺在草坪上，茜茜跟著妳往下，妳們繼續親吻，探索著彼此臉頰、唇部和嘴邊的線條。茜茜的手來到妳胸前，妳希望她觸摸妳，但禮服像塊漿過的厚牆般擋在妳們之間。

「這件禮服快讓我窒息了！」妳氣喘吁吁地坐起來。「我很抱歉，茜茜，我知道妳尚未完成有史以來最完美的婚禮，但這些禮服真的是悲劇！妳身上那件和妳很配，但我的簡直怵目驚心！」

妳看到她臉上的驚訝，那一刻妳甚至擔心她會再次哭起來，但她卻爆出一陣大笑。「這場婚禮不是我的最佳傑作。」她承認。

妳們咯咯笑起來，在柔軟的草地上翻滾，直到妳們又開始親吻，妳伸手到背後拉下禮服拉鍊，把自己從這件棉布緊身衣中釋放出來。她也拉開拉鍊，妳們一起手忙腳亂地幫對方脫下衣物。最後妳們終於脫得只剩下底褲。

「如果有人看到我們怎麼辦？」茜茜問，從妳身邊移開。

「我寧願他們看到我穿這樣，也比那件恐怖的禮服好！」妳說。

「我從來沒做過這種事。」茜茜眼睛亮了起來。

「我也是。」妳因為茜茜試探著撫摸妳的胸而驚喘，她感受著妳乳房的重量，妳的乳尖在她的觸摸下變得硬挺。她撫下妳的身子，手指在妳的底褲邊滑動，接著探了進去，摩擦妳小丘的同時也再次用舌頭探索妳的嘴，妳溫柔地回吻她。

妳怯生生地撫摸她的身體，既柔軟又平滑，妳想把自己埋入其中。妳來到她身體的私密處，驚訝地發現手下摸到的是蕾絲。妳一直以為茜茜是愛穿純棉的那種女生——但顯然妳很多方面都看錯了她。

透過蕾絲，妳感覺到她的熱度和濕潤，隨即往內尋找她的小蒂。妳從她的呻吟中知道妳找到它了，手下也同時傳來陣陣悸動。

模仿著妳的動作，茜茜也找到並按摩著妳的小蒂，使妳因極樂而顫抖。該換她探索一番了。她慢慢將一指小心翼翼地滑入妳的私處。妳在她口中說了句「對」，催促她繼續，接著妳學她的動作，手指探入她溫暖的核心。快感使她發出細微的哭喊，妳往內探得更深，直到指節沒入。

茜茜喘息著移向妳的脖子，妳用指甲往下輕輕搔刮她的背，啜飲這場體驗中的新鮮和興奮。妳的身體從未感受過這麼柔軟濕潤的吻。她的身體和妳如此相似，妳清楚知道該如何挪動手指，讓她因快感而翻騰。

她探入第二根手指，接著是第三根，妳弄懂了她的暗示，便如法炮製。妳希望她能享受到多妳十倍的歡愉，妳的手開始加速。她一定感覺到了，隨著妳撫弄她的甜蜜小點，她顫抖著哭喊：「噢，神啊！我的老天！」在她高潮來臨的同時，妳的腿開始打顫，私處收縮夾緊她的手指，一場芮氏地震儀八點九級的強烈高潮來襲。

妳們雙雙躺在草地上，看著帆布頂棚上的斑駁樹影。休息夠了，妳們轉身對望，妳將一綹髮絲塞到她的耳後。

「感覺好點了嗎？」妳問。

「事實上，好多了。」茜茜說，「妳在想什麼？」

「在鄉下發生的事，就讓它留在鄉下吧？」妳說。

「我也是這麼想。」

「我猜我們該回去參加婚禮了。」

「嗯，我等不及要來一塊結婚蛋糕啦。」妳伸手拿起禮服，站起身來穿上。

「算妳走運。」茜茜說，幫妳拿掉一片髮上的落葉。「我剛好認識那位婚禮企畫。」

妳們一起走回主屋。妳感覺不可思議地放鬆，連禮服都沒那麼讓人難受了。妳們走向宴會廳的門口，裡面充滿了人聲和音樂，妳發現茜茜正在拉扯禮服的馬甲部位，她的胸部幾乎要掉出衣服外面，半袖設計截斷了她手臂上的血液循環。妳恍然大悟她的苦難來源：她穿的是妳的禮服。

（全書完）

妳獨自一人出席婚禮

「第一輪我請。」麗莎說。

「給我一杯馬丁尼，雙份，但不要加橄欖。」妳想到那件可怕的伴娘禮服。妳需要灌下眼前所有的烈酒，才能面對當眾穿它的窘境。

「我很高興妳沒帶伴來——而且我們還提早一晚到了。」麗莎說。她說服妳多請一天假，以便參加婚前恐懼症尚未發作前的女子單身派對。妳還來不及在這間鄉村莊園式婚禮會場把行李寄放好，她就拉著妳衝向事先叫好的計程車，要載妳們兩個去附近的旅館酒吧。

「真的，要在一個週末裡把史提夫介紹給貞恩的家人以及那件伴娘禮服可能太快了，他應該會逃之夭夭吧。」

「我認為妳這週末就好好享受一下，稍微狂野一點也行。等妳回去，如果這位史提夫老兄確實是『真命天子』，妳就可以安定下來，心裡知道妳也曾放蕩不羈過就好。看看這個地方，到處都是男人的小弟弟。單身者的天堂啊。」

妳環顧四周。酒吧裡很快就坐滿了人。「所以妳才要來這裡，而不是去我們下榻處附設的酒吧？」

「沒錯。這裡沒人認識我們。我們想幹什麼就幹什麼。」

「妳怎麼知道這裡的人都是單身？」

「拜託喔，這是長週末假期，五十公里範圍內起碼有一百萬場婚禮在進行。這個地方擠滿了前來找樂子、隔天一早也不想再記起自己幹了什麼好事的人。婚禮有種奇怪的影響力，會讓人們做出平常不太會做的事。我想是因為那些誓約總在他們腦中揮之不去。這就和那些曾面臨生死關頭的人，之後總是會改變生活方式一樣。這一切會讓他們恐慌，想要來場非關道德的性愛。」

「我很高興妳能把永恆的承諾和生死關頭連結在一起。」

「沒辦法，我還在失戀恢復期。」麗莎說。

「妳永遠都在恢復期。說到這個，妳現在不要看，但妳認識那個女人嗎？」

「我說現在不要看！」妳嘶聲說。

麗莎立刻伸長脖子到處看。

「紅髮的還是棕髮的？」麗莎問。

「紅髮的。她一直在看這邊。」

麗莎對她招手。

「妳認識她？」妳問。

「這輩子都沒見過。但我還有一整個晚上可以彌補這個遺憾。」

「我真不知道妳怎麼辦到的。我從來沒試過一夜情。」

「什麼？」麗莎真的嚇到了。「從來沒有？」

妳搖頭。

「妳不知道自己錯過了什麼。它有一種不可思議的解放感。妳不需要擔心明天或以後，不需要擔心對方是不是喜歡妳，或會不會再打電話來。而且這種性愛通常都棒透了。」

「不要講得好像我從來都不想嘗試一樣，我只是一直沒有機會而已。」

「唔，如果妳沒辦法在這樣的週末找到人上床，那妳還是回家吧，買幾條保暖衛生褲，然後養五隻貓。這裡有沒有人能入妳的眼？」

妳四下張望。角落裡有群吵鬧的男人，但他們似乎不太有可能。其中一人穿著法國女僕的制服，腳踝上掛了一個難看的鐵球腳鐐。

「那位怎麼樣？」麗莎問，示意一個獨坐桌旁的男人。他有點年紀了，帶著一種隨意的自信，看起來從容淡定。他穿著深色牛仔褲和亞麻襯衫，頭髮剃得精光，但是那種性感時髦的造型，不是悲哀禿頭的歐吉桑造型。他的下巴有些許花白鬍碴。妳不確定是因為光頭還是粗獷的外型，但他頗有布魯斯．威利的味道。

「他還不錯。」妳聳肩。

「我不是那一國的，但如果我是，我會上他。」麗莎說。

「好啦，他很性感，也單身一人，但妳怎麼知道他不是連環殺人魔？或者更糟的，是個律師？」

「妳又不需要嫁給這個男人幫他生小孩！拜託，妳不用強迫自己和他上床，但說句『嗨』有什麼壞處？看好，學著點。」麗莎站起來。

「等一下，我以為今晚是好姊妹之夜耶。」妳抓住她的手臂。

「她是個女的沒錯。」麗莎說，示意那位紅髮女郎。

「不，麗莎，回來，我恨妳！」妳在她身後喊，但她已經穿過半個酒吧了。看著她上前搭訕那位中年人讓妳臉頰發燙。他看了妳一眼，接著轉頭面對麗莎，然後大笑。他笑起來更英俊了。臉頰上有一個性感的酒渦，深深的笑紋從鼻子連到嘴邊。妳氣極敗壞，不想再看下去，拿起馬丁尼轉開了頭。

當妳終於鼓足勇氣再看過去，他已不在原來那一桌了，麗莎則跑去和紅髮美女聊天。妳感到如釋重負，卻也有點失落。或許他已經結婚，也或許他只是不喜歡妳這一型。

妳瞬間想起那件醜怪的伴娘禮服。貞恩腦子壞了嗎？婚禮造成的歇斯底里是唯一的解釋。算妳走運，在她神經失常時率先出包的只是她的時尚品味。但另一件事也讓妳操心。貞恩的未婚夫，湯姆。妳喜歡他，他親切隨和，這也使他成為傑出的獸醫，但妳無法確定他是不是最適合她的人。他有點……唔，太一板一眼了。

「我不確定妳是因為想要遺忘而喝酒，還是想要追憶，但希望這可以對妳有點幫助。」那位布魯斯．威利的分身出現在妳身邊，手裡拿著一杯新的馬丁尼（沒加橄欖），另一手拿著威士忌。他近看更帥了。妳剛才還覺得他笑起來更英俊，但現在看他站在旁邊，一臉沉穩，妳發現他認真的臉才真正吸引妳。

「我想是為了遺忘吧。你呢？」

「兩者各有一些。介意我一起坐嗎？」

妳搖頭，不確定該謝謝麗莎還是痛扁她一頓。

「和男人有關的困擾？」他問。

「算吧，但他不是我的男人。我只是對好朋友的未婚夫有點疑慮。」

「還好不是妳要嫁給他。」

他說到重點了。

「所以我朋友說了什麼讓你願意坐過來？」妳問。

「她說妳只剩下二十四小時的生命，和我聊天是妳臨終前的心願。」

「我要殺了她！」妳對著麗莎的方向狠狠瞪了一眼，她正和那位紅髮美女耳鬢廝磨。

「如果妳可以活到那時候。」

「我們應該為什麼理由喝一杯呢？除了我並非真的只剩下二十四小時的生命，或任何不會難堪的事？」

「事實上，我的離婚今天生效了。」他說。

「呃……恭喜，或者很遺憾，看你需要哪一種。」

他和妳碰了碰杯，揚起嘴角。「婚姻不適合膽小的人。我是個飛行員，不能常常在家，所以她離開了我。我看到牆壁上那些留言的時候已經太遲，什麼也挽回不了。新歡比我年輕很多，我正在學習接受這一切，所以威士忌就出現了。」

「唔，你長得這麼帥，又是個飛行員。你很快就能重新開始約會了。」

「我二十年沒約會了。可能有點生疏。我錯過了什麼嗎？」

「其實沒多少，和二十年前大同小異。好男人依然極之稀有，那些女人希望對方保持聯絡的很少會打來。」

「噢，別鬧了，像妳這麼漂亮的女孩，一定有辦法讓他們成為裙下之臣。」

不知道為什麼，除了那些彆腳的恭維話讓妳不太受用，妳的小腹卻以某種美妙的方式糾結了起來。也可能是第二杯馬丁尼害的。「但說真的，妳可能需要給我一點約會建議。例如，我要怎麼知道一個女人喜歡我？」他接著問。

妳仔細盯著他。「唔，你必須睜大眼睛，留意那些微妙的徵兆。首先，她可能會開始玩頭髮。」妳用手指繞起一綹頭髮。

「那如果我也喜歡她，要如何讓她知道？」

「試著在談話中自然地撫摸她的手臂。你的微笑相當迷人，你絕對要好好使用它。」

他隨即一秒不差地撫摸妳的手臂。「我真的應該試試看。」

「熟能生巧。」

「如果想和某位我認為性感無比的異性更進一步呢？我該怎麼做？」

「你可以邀請她共進晚餐，用你的魅力迷倒她。等到再晚一點，如果你夠幸運，也許可以引誘她回到你的房間，如果你剛好就住在這間飯店的話。」妳無法相信這些話竟然出自妳的口中。妳被什麼附身了嗎？

他搖了一下杯裡的冰塊，再次用布魯斯．威利般的笑容迷住了妳，接著開口：「我餓壞了，我們去吃點東西吧？」

妳的心漏跳了一拍。如果要長期發展，他對妳來說真的老了一點，但他超級帥、魅力十足，又是個飛行員，妳何不考慮與他來一段？麗莎說得對：這是妳體驗一夜情的好機會。為何不試試呢？妳只不過和史提夫約會過一次，又不是對他有什麼承諾。而且經過那悲慘的禮服試穿，妳需要的不只是加強自信和調劑心情，還需要一點點有氧運動。

所以就是這樣：妳準備睡了這個傢伙，不管他喜不喜歡。

妳四顧尋找麗莎，她似乎消失了。紅髮美女也不見了。妳發個簡訊給她：「別等門。」

她回妳一則：「妳也是。還有啊，記得狠狠地做到爽。」

妳想和飛行員共進晚餐，請翻至第165頁。

妳想直接回他的酒店房間進行妳這輩子第一次一夜情，請翻至第173頁。

妳決定和飛行員共進晚餐

「所以，妳認為法國菜怎麼樣？」飛行員問妳。

「我很愛，除了蝸牛以外。但我不知道這個小村還有法國餐廳。」

「這裡沒有。但巴黎的選擇就很多了。」

妳偏著頭看他。

「我不知道妳有什麼安排，但我只要在星期六傍晚回到這裡參加家族聚餐就好。我可以在那之前送妳回來，如果妳也同意的話？」

「等一下。你在建議我們去法國？」

「Oui！」

「只吃一頓晚餐？」

「唔，既然今天是相當重要的時刻，我這週末又剛好有一架私人飛機可以開，這也是我二十年來第一個約會，我想我們應該讓它變得比去連鎖餐廳或其他小飯館吃一頓，更加有紀念性才對。妳認為呢？」

「但你應該不能酒駕吧？」妳問，示意他手中的威士忌。

「飛機不會是我來開，因為我要招呼客人。但我的副駕駛剛好這個週末都要待命。等一下，妳有護照吧？」

「在我的酒店裡。我從來不會把它留在家中，我上輩子很有可能是祕密情報人員。」

「嗯，所以那就全看妳啦。去本地的驢子漢堡店或是法國名廚艾倫・杜卡斯店裡吃蝸牛以外的任何東西？」

妳的腦子飛快運轉。妳可以及時回來參加婚禮，而且人真的只能活一次——

「我們走吧！」妳說。

「太棒了。順便一提，我叫傑克。」他輕觸一下妳的臉頰，隨後向酒保要來帳單。

巴黎。搭私人飛機。和飛行員一起。妳輕聲低語了一句：「中大獎王八蛋」。

「這個浴缸真壯觀。」妳站在套房內那間精美至極大浴室的門邊，看著巨大優雅的浴缸，似乎在邀請妳帶著香檳進來好好享受一個小時的泡泡浴。

「妳覺得這大小夠不夠兩個人一起洗？」傑克在妳身後說，下巴抵在妳肩上。

「沒試過就不會知道。」

「我去拿香檳。」傑克說。妳打開水龍頭，把手伸到水流底下試溫度，心跳因期待而加速。妳點亮刻意布置在浴室四周的蠟燭，接著把泡泡浴露倒入水中，水蒸氣和香味瀰漫在空中。

妳和傑克到達巴黎的時間剛剛好，得以在酒店裡的米其林星級餐廳Le Cinq享用一頓美味又不含蝸牛的宵夜，儘管吃喝了五道菜和一瓶陳年好酒，妳卻一點醉意也沒有。妳從觀景窗向外望，窗外正是香榭大道的夜景，行道樹上小巧精緻的燈光閃閃發亮。

妳幾乎不敢相信自己身在此處。妳等不及要告訴麗莎妳的這場冒險，開始於搭乘里爾噴射機飛行。誰知道這麼一架小飛機可以如此奢華？或許明天妳會有時間探索這一區的高檔精品商店，買個禮物謝謝她把妳介紹給傑克，造就出史上最棒的一夜情，連麗莎最狂野的夢也遠遠不能及。

傑克轉了回來，遞給妳一杯香檳。「敬巴黎。」他說。

妳用酒杯輕敲他的，各自啜了一口，隨後他把杯子放在浴缸邊緣，向妳跨近一步，捧起妳的頭，以那種經典文學或是黑白電影中才有的熱情親吻妳。

妳脫去他的外套，解開襯衫鈕釦，他也拉起妳的洋裝從頭上脫掉，你倆雙雙不發一語，同時除下鞋子。

妳幾乎全裸站在他面前，這讓妳感到一絲羞怯，用手遮住胸部。他感覺到妳的害羞，於是轉身將浴室光線調暗，讓整個室內沐浴在閃爍燭光的撫慰下。隨著他的動作，妳脫下底褲，小心翼翼地踏入浴缸，沉浸在柔滑的水中，任它包覆著妳光裸的身子。

妳在浴缸中往前移，關掉水龍頭，傑克從妳身後跨了進來。妳心滿意足地嘆口氣，向後倚著他，他的腿伸在妳身側，健壯的胸膛抵著妳的背。

他拿起一個柔軟的大海綿，抹上肥皂。接著從妳的肩膀開始，慢慢移下其中一隻手臂，接著是另一隻。再回到妳的頸部，他用海綿往上來到妳的耳際擦洗，接著重新移回來，停下動作再抹一次肥皂，之後來到妳的胸前，先是一邊乳房，接著換另一邊。海綿擦拭的動作在掠過乳尖時頓了一下，它在絲般柔滑的泡沫下瞬間變得像個硬塊。

傑克的手往下探入水中，海綿再次來到妳的小腹，另一隻手把玩著妳的耳垂。接著他慢吞吞地將海綿滑過妳的私處，妳忍不住仰頭靠上他的肩，閉起眼睛，快感隨著他開始飽脹的硬挺開始積聚。妳感覺它擠壓著妳脊椎底端，你們的身體中間只有溫水相隔。

傑克再次用海綿擦過妳的腿間，妳逸出一聲輕柔的呻吟，接著他稍微用力，重新回到妳的鎖骨，整趟旅程從頭再來。從妳的兩隻手臂開始，接著回到胸前，這次他改用手覆上一側乳房，手指挑弄著乳尖，同時用海棉擦拭另一只。

他又一次把海綿浸入水中，開始吻妳的脖子，另一隻手仍然逗弄著妳的乳尖，妳感覺海綿回到了妳的兩腿之間。他在妳的小蒂上來回擦拭，一次比一次更用力，妳輕輕咬著傑克的脖子和耳垂，以低聲的呻吟鼓勵他，呼吸漸漸急促。

一陣水流沖上妳的肌膚，妳尖叫起來，大概一打左右精心設計的按摩噴頭同時開動，其中一個噴頭的角度剛好可讓強勁的水流往妳的私處沖。妳把腿跨在水龍頭兩邊，讓水流直直沖向妳的小蒂。傑克丟掉海綿，隨著水流在妳身邊移動，妳感覺他的手指滑入妳體內。剛開始只探入一隻手指，接著在妳幾乎要瀕臨崩潰時，妳感覺他填滿了妳。

妳柔軟滑溜的皮膚緊貼著他，翹起臀部抵著他的手和強勁的水流，直到妳的私處因高潮而收縮，手指緊抓著浴缸邊緣，每條肌肉在衝向巔峰之前都繃得死緊。之後妳喘息著癱在他懷裡，雙眼緊閉，浮著泡沫的水浸過妳的胸口，潑灑出些許在浴缸外的黑白格子地板上。

水柱噴頭平緩下來，妳回了神，傑克用腳把塞子勾了起來，妳聽到排水的聲音。妳向前靠方便他起身，水從他肌理分明的大腿上滑落。他跨出浴缸，拿起白色浴巾圍在腰間，妳目不轉睛地欣賞他的身材。

接著他又拿起另一條浴巾。妳站起來，兩腿依然發顫，他扶妳站穩，讓妳跨出浴缸。站在映著搖曳燭光的踏腳墊中間，傑克用浴巾擦拭著妳的身體，一點一點地擦乾。先用浴巾拍乾妳的肩膀，然後是兩隻手臂，接著擦拭妳的雙乳，極度用心地仔細擦乾每一側。

然後他蹲在妳面前，慢慢用毛巾擦乾妳的小腹，接著是兩條腿，最後回到妳的私處輕輕拍乾，他的勃起在浴巾底下撐出了一個大帳篷。

他重新起身，拿起繡著酒店名「喬治五世」縮寫字母的浴袍幫妳穿上，熱情地再次吻妳，妳隨著他走進臥室，在他手中幾乎要化為輕塵。

這張巴洛克風格大床的尺寸簡直像座小島。妳輕推傑克的胸膛，讓他仰躺在床上，整個人陷進那誘惑力十足的白色被組，妳相信這條床單的紗織數起碼上百萬。

妳走去倒了兩杯新的香檳，同時從皮包裡拿出一個保險套。接著妳回到床上，把傑克的酒遞給他。他淺嘗一口，兩眼盯著妳，在妳端著一盤草莓和用銀碗盛裝的鮮奶油走向他時，嘴角微微勾起。

「現在換你了。」妳說，往床尾一站，慢慢讓身上的浴袍滑落地面，他保持仰躺，強壯的手臂枕在腦後。

妳爬上床來到他身邊，拎著一顆草莓的綠色短梗，用尖端沾了些鮮奶油。妳把草莓當成畫筆，畫過他柔軟敏感的手臂內側，在腋窩邊緣停下，用鮮奶油在他身上寫了個數字1。妳用草莓尖端沾取更多鮮奶油，在他的肚子上寫下數字2。他充滿慾望地看著妳重複這些動作，在一側乳頭寫下3，另一側寫著4。接著妳拉開他腰間的毛巾，慢慢在肚臍下方位置寫下5，剛好在直直指著天花板的勃起下方。妳挑起一道眉，注意到它明顯地往左略偏。

妳高跪在他身上開始動作，從數字1開始慢慢舔去鮮奶油。妳舔著他腋窩上方絲般柔滑的肌膚，手指滑過他敏感的身側，感到他因歡愉而輕顫，全身起滿雞皮疙瘩。然後妳小心地跨坐在他身上，低頭舔去腹部的數字2，再來就是3。等妳不急不緩地舔到數字4時，妳幾乎可以聽到他的心跳開始加速。

傑克的呼吸變為急速的輕喘，妳知道這種折磨對他來說已經太多，還好也只剩下一個5。妳俯下頭到他肚臍下方的位置舔去數字5，從字的最上方開始長長地舔一口，然後繼續從數字底部往上舔到勃起的頂端，他已經堅硬如石。妳抬眼看他，同時用舌頭從頂端一路舔過那硬邦邦的輪廓，到底再折返重新往上，最後張嘴覆上去，把大半根雄偉的他含在口中。妳握著他的底部，在吸吮的同時一邊上下滑動。

妳相信他在妳口中已經瀕臨崩潰邊緣，妳再次爬上他的身體，拿起放在托盤中的保險套，撕開包裝，快速地套上他的勃起，他輕呼著妳的名字，祈求進入妳的身體。

妳俯在他身上，慢慢坐下身子，讓他一吋吋填滿妳。妳移動臀部，他開始發動衝刺，他飽脹的頂端不斷衝擊著妳最敏感的深處。

他的動作愈來愈強烈、快速、狂野，妳拱起背脊，隨著他一次次撞擊妳的甜蜜點，感覺自己已經瀕臨崩潰邊緣。他的手撫在妳的胸前，妳騎著他直到妳爆發。高潮一波波向四處迸發，穿透了妳，他在幾次狂攻之下也因為妳的高潮反應跟著妳到達頂峰。妳心滿意足地癱倒在他胸前，感覺彼此肌膚相貼，他的鬍碴輕刷著妳的額頭。

妳暗暗想著，法蘭西真是萬萬歲。到目前為止，貞恩的婚禮可說是妳這輩子參加過最棒的一次婚禮，雖然它根本還沒開始。

（全書完）

你們直接回到飛行員的酒店房間

他刷下房卡，讓妳走在前面，轉動燈光旋鈕調暗光線。妳踏進他的套房時有點頭重腳輕，不敢相信自己在做什麼。

「來點飲料？」他問，往迷你吧檯走去。

「麻煩你。」妳說，很快地掃視一下這間豪華的套房，完全是時髦的低調奢華風格。他從迷你吧檯拿出幾個小瓶子，寬肩在襯衫下起伏，妳等不及想感受他皮膚下的肌肉線條，以及他吻妳的感覺。妳一直都很喜愛第一個吻發生前的片刻。那些打情罵俏、小鹿亂撞的心情、漸漸升高的期待，以及底褲裡那股悶燒的細火。

妳想找個地方坐。坐床上的話用意太明顯，扶手椅又太孤單，所以妳最後坐進了沙發。他遞了一個杯子給妳，然後開始來回踱步。妳看得出他很緊張，這點很可愛。

「所以，當你開始約會……」妳說。

「嗯？」

「如果你成功地把女人帶回房間，是可以和她一起坐在沙發上的。如果你願意的話。」

他笑起來，坐到妳身邊，接著二話不說，一隻溫暖的大手放上妳的頸背，傾身靠向妳。你們親吻，既急切又溫柔。完全沒有尷尬的下巴互撞或是牙齒相碰，彼此的臉型搭配得完美無缺。他的舌頭在妳口中打轉，妳也禮尚往來。親吻結束，他稍稍拉開一點距離。

「妳要對我溫柔一點，好嗎？我不是開玩笑的，我有很長一段時間沒做過了。」他的無助讓人心疼，也令人興奮。

「別擔心，不會受傷的。」這次換妳飢渴地吻他，感覺他的鬍碴磨蹭著妳的臉頰。妳雙手抵在他胸前，感受底下繃緊的神經。手指滑進他的襯衫鈕釦之間，等不及要摸他的皮膚。

他笨拙地撥開妳洋裝的肩帶，一手滑過妳的胸部，繞著妳的脖頸，手指滑進胸罩肩帶下方，但始終沒覆上妳的雙乳。

接著你們又開始親吻，像一對青少年花了好幾個小時般熱烈，摸索熟悉彼此的身體曲線。一會之後，他把妳抱上他的大腿，他的勃起透過牛仔褲擠壓著妳。

你們一邊親吻，妳一邊慢慢解開他剩下的鈕釦，他將妳的洋裝和胸罩肩帶拉得更低，直到妳可以與他肌膚相觸。

「我表現如何？」他在妳頸邊問。

「就初學者來說還不錯。」妳喃喃回答。

「讓妳看看我的第一課。」他環抱起妳，讓妳仰躺在沙發上，接著跪在妳面前，身子緊貼著妳好讓你們吻得更深。妳明天可能很難向女孩們解釋這些鬍碴造成的刮痕。不然就說是海鮮過敏的反應好了。當他吻上妳的雙乳，輕咬一側乳尖時，妳的腦子立刻變成一片空白，他的手指探入妳的裙底，隔著底褲布料揉搓。對下一步的期待讓妳呻吟出聲。

如果妳想為他服務，請翻至第176頁。

如果妳想要他為妳服務，請翻至第178頁。

妳想為他服務

「等等。」妳輕聲說，他抬頭看向妳。

妳從他身下鑽出來，像隻山貓一樣竊笑，妳丟了個沙發坐墊到地上，在他雙腿間跪下。他彎下身深深吻妳，吻得妳暈頭轉向。你們倆終於分開後，妳解開他牛仔褲的釦子，將褲子褪下雙腿丟到身後。

妳再次吻他，指甲在他大腿上來回游移，感受緊繃的肌肉。親吻他的同時，妳手伸向他的下方，將他的勃起從內褲裡釋放出來捧在手中。妳從未如此厚顏大膽，但妳愛死了這種感覺。他深吸口氣，低吼出聲。他被妳握在手哩，摸起來好柔軟，幾乎像是絲綢，大小剛好，但妳驚訝的是，它明顯地往左偏，比比薩斜塔還斜，又不像回力鏢那麼彎。這個發現令人著迷，妳低下頭，將尖端含進口裡。他再次呻吟，緊緊抓住沙發墊，手指關節都開始泛白。妳心裡有數，接下來一定會很好玩的。

妳慢慢將他含進嘴裡，一點一點地，然後將手放在底端，頭部隨著吸吮而上下擺動，手也跟著來回撫摸。然後，讓他猝不及防的，妳改變速度，再次吞噬他。他的呻吟愈來愈大聲，雙手穿入妳的髮間，以有力的手指摩娑妳的頸背。

接著，妳繼續慢慢挑逗，輕舔弄他的勃起，然後再次將它含入口中，從頭開始，以他的呻吟判斷他興奮的程度，再逐漸增加移動的強度與速度。直到他拱起下身，求妳繼續，永遠不要停。但妳停了下來，因為妳想這麼做。

然後妳爬回沙發，跨坐在他身上，用鼻尖撫觸他的頸背。妳穿著已然溼透的內褲騎著他，他跳動的堅挺內側摩擦著妳的小蒂。好美妙的感覺。他扶著妳，輕咬妳的脖子，妳下半身的速度愈來愈快，愉悅地互相摩擦好幾分鐘。妳閃過找保險套的念頭，好讓他可以進入妳，但妳完全不想停下來，這感覺太美好了。所以妳反而加快速度，彼此的磨蹭令人滿足瘋狂，也許是因為他明顯彎曲的勃起與妳下體的曲線完全契合，他便能不斷磨蹭妳的小蒂，而妳無法抵擋高潮來臨，他也幾乎同時大力解放，你們一起發出幸福愉悅的哭喊。

你們顫抖著，相互依偎在沙發上，他的手臂在妳身上眷戀地纏繞，妳的心跳慢慢回復正常。

請翻至第180頁。

妳想要他為妳服務

妳躺在沙發上，他高跪在妳身邊，以四隻手指在妳底褲上來回撫摸妳的小蒂。妳閉上眼，配合他的撫摸動作拱起臀部。他的唇同時吻上妳的脖子，慢慢在妳的胸部和乳尖挑逗游移，然後再回到妳的嘴。沒多久，他探入妳的底褲，發現妳已溼透時低聲呢喃了些話。妳感覺他移動著身體，跪在沙發旁的地上。

他褪下妳的內褲，頭埋在妳雙腿間，用鼻子觸碰妳的下體，溫柔地逗弄。妳可以感到他的鬍碴摩擦著妳的大腿，刺痛提高了妳的敏感度。妳感覺他對著妳的私處張開了嘴，舔了妳一下，然後溫柔地用牙齒咬住妳的唇瓣。接著他放開來舔妳，像吃冰淇淋一樣不斷舔拭，舌頭伸了進去，手則在妳大腿內側按摩。妳抬高臀部，讓他的舌頭可以更深入。

「我的天啊！」妳呻吟，扭動著身體，他用一隻手指伸進去的同時，舌頭也不斷舔弄挑逗著妳。「不要停。」妳哀哀懇求，他輕咬妳的小蒂，這是最美妙的一種折磨。

妳一手按在他的頭頂，另一隻手在他不斷舔妳時緊抓住沙發墊，這感覺太強烈，妳再也無法分辨是舌頭還是手指，只知道如果他停下來，妳可能就會死。妳還來不及控制自己，高潮已經在妳體內爆發，每吋肌肉都失控地顫抖。

妳的身體還在微微顫抖，妳在沙發上動了動，挪出空間給他。他躺在妳身旁，用手臂緊緊抱著還在享受餘韻的妳。他撥開妳臉上的髮絲，對著妳微笑，妳的手往下，找尋他牛仔褲的鈕釦。

妳摸索到了那像石頭般的硬挺，用手從底部向上撫摸到尖端，訝異地發現它明顯地往左偏。它的外表像絲綢般柔軟，妳喜愛這觸感，以及在妳掌中的巨大力量。妳用手上下撫摸，剛開始是慢動作，接著在他開始呻吟時，妳加快速度，直到他忍不住在妳手中衝刺，一邊用熱吻吞噬妳的嘴唇與脖子，一邊呻吟出聲，妳的手愈動愈快，直到他勁射出來，高潮撼動了他全身，使他愉悅地發出低吼。

然後妳轉過身，心滿意足地背靠著他，才能與他相互依偎。妳閉上眼睛，感覺他緊抱妳時從妳背上傳來的心跳，配合著他調整呼吸。妳心想，原來一夜情是這種滋味。不賴，妳會習慣的。

請翻至第180頁。

妳在飛行員的酒店房間裡醒來

妳之前一定是睡著了。妳睜開眼，記起自己正睡在一間美輪美奐的飯店套房裡，身邊是那位在酒吧遇見、長得像布魯斯．威利的飛行員，一位小弟弟偏左的男人。妳可以感覺他在妳身後平穩地呼吸，睡得很沉。

妳滑下沙發邊緣，像游擊隊一樣爬過地板，沿路抓起丟了滿地的衣服。妳思索著要不要留下電話號碼，但那會破壞一夜情的宗旨。麗莎說得對，昨夜確實很有趣，可以讓妳心情變好。而且至少到離開的這一刻，妳也避掉了尷尬的事後對話。這個男人才剛離婚五分鐘而已。正在重新振作的男人絕對不是妳想交往的類型。

一位行李員停下來盯著妳看，因為他發現妳在房間門口穿鞋子。

「早啊，這裡沒什麼好看的。」妳邊說邊走向大廳櫃檯，妳必須請門房幫妳叫計程車。

妳穿著小禮服和高跟鞋爬進車裡，一身不怎麼適合早上八點的造型。妳請司機載妳回下榻的酒店，司機露出心照不宣的笑容。

妳拿出化妝鏡檢視災情，發現睫毛膏黏在一起，眼線糊掉了，而如果不靠專業工具絕對無法把妳的頭髮梳理整齊。妳想盡辦法用手指梳順它們（為什麼在妳需要的時候，皮包裡永遠缺少面紙或梳子？），但大部分的慘狀還是得等妳回到酒店用強效卸妝液才能處理。謝天謝地妳在布魯斯．威利的替身醒來之前就溜掉了。妳這副尊容可能會把他嚇出心臟病。

昨天妳抵達時天色已晚，絲毫沒注意到這個婚禮場地有多麼壯觀。隨著計程車駛過長長的碎石子車道，妳看到一棟古老的石砌大宅，一所年代更加久遠的小教堂，精心修剪的玫瑰花園，通往一棟造景小屋的大片草坪，往下可走向波光粼粼的湖邊，天鵝安詳地悠游其上，水邊的草坡甚至還放養了群綿羊。〈唐頓莊園〉影集的主題曲似乎隨時都會響起來。

司機放妳下車的同時，一輛黑色廂型車恰好停在旁邊，窗內傳出貝斯和鼓聲。一位穿著黑色緊身牛仔褲、緊身T恤和馬靴的男人從駕駛座下來，滿眼欣賞地看了妳一眼。

「早安，妳是來參加婚禮的嗎？」

「呃……對。你呢？」

「我是DJ。」

「DJ沙林傑？」貞恩對他火辣程度的評價真是分毫不差。

「如假包換。忘了帶行李嗎？」他對妳露齒一笑，妳也回他一個笑容。看來他心知肚明妳昨晚幹了什麼好事，但並未以此評斷妳。

「說實話，我本來想試著偷偷摸摸溜回來，不要讓人發現。」

「了解，我也有過這種經驗。如果妳能先等我把行李拿出來，我可以幫妳做掩護。」他說。

妳正準備接受他的提議，卻看到一輛摩托車停上了車道，後面還跟著幾輛轎車。絕對是其他前來參加週末婚禮的賓客。「沒關係，我沒事。」妳說，帶點揪心的遺憾。

「行。晚點再見囉……我希望。」

妳喃喃向櫃檯人員打聲招呼，接著快步走向通往客房的走廊。但妳只來得及走了幾步，就聽到一個聲音呼喚妳的名字。妳躊躇了一下，那是貞恩的母親。被逮到啦！

如果妳拔腿就跑，請翻至第183頁。

如果妳勇於承擔後果，請翻至第184頁。

妳拔腿就跑

一想到會被妳死黨的媽媽發現妳和陌生人墮落一整晚後偷溜回酒店房間，實在令人害怕。

妳穿著那該死的高跟鞋蹣跚前行。如果她待會因此找妳麻煩，妳隨時可以回答說妳正在聽 **iPod**，而且耳機一年比一年做得更精巧。

「啊，妳在這裡呀。」茜茜從某個門旁冒出來，手上提滿禮服袋，擋住妳的去路。「如果妳不忙，可以來幫我把伴娘禮服上的皺褶燙一燙嗎？花童的衣服也在我這裡。」

怎麼辦？妳實在不願意花整個早上去燙那些必須在星期天早晨穿上的噩夢禮服。但看來妳要不就去當女工，要不就得面對尷尬，兩害相權取其輕。「不行，妳媽媽找我有事。」妳說。在茜茜還來不及回答時，妳轉過身假意喊了一句：「我來啦！」

請翻至第184頁。

妳勇於承擔後果

「早安，小姑娘！」貞恩的母親歡呼，穿著一身鮮橘色的絲絨運動裝向妳走來。「這裡是不是很美？」她熱情洋溢地讚嘆。「我真高興妳平安無事地抵達這裡。妳昨天晚上到的嗎？睡得怎麼樣？房間還喜歡嗎？我們那間簡直像天堂。」她幾乎沒留時間讓妳點頭回應。往好的方面想，她似乎沒注意到妳在早上八點半穿著小禮服和亮片高跟鞋的事實。

「來跟大家打個招呼。」她握著妳的手腕，把妳拖向陽光燦爛的玻璃屋早餐室。那位DJ正把一箱箱的器材從相連的儲藏室裡搬出來，向妳無聲地說了句「祝妳好運」。妳很需要好運。當妳和貞恩的母親走進屋內，圍坐在大早餐桌旁的每個人忽然都停止對話，齊齊望著妳。

「早啊，親愛的。」貞恩的蘿倫阿姨向妳打招呼，心照不宣（還帶了點讚許）地看了妳的小禮服一眼。她是那種標準葷素不忌的女人，一直都憑一己之力把「搖擺六〇年代」的搖擺改寫為「雜交」。

「早安。」妳說。接著向貞恩的爸爸點頭致意，他正以建築工人塗水泥的方式在吐司上塗果醬。

貞恩的母親把妳介紹給湯姆的媽媽和她的新男伴（大概比她小了二十歲吧），然後向坐在貞恩父親身旁一位外型粗曠的帥哥揮揮手。「這位是迪蘭神父。星期日會由他來證婚。」

所以這位就是迪蘭神父。真要命，難怪貞恩青少年時期會迷戀他。這男人不可能是神父，他太帥了。他的外型有著居爾特民族的深色膚色，眼睛四周襯著一圈妳從來沒在男人身上看過、濃密又黑亮的眼睫毛。頭髮下擺剛及領緣，方正的下巴上有些像是鬍鬚又像鬍根的東西。他穿著牛仔褲和一件領口敞開的黑襯衫。

「很高興見到妳。」他說，聲音裡有一抹不容錯認的愉快。

「你一點也不像神父。」妳脫口而出。該死。妳根本沒打算這麼大聲說出來。「畢竟，你又沒穿神父袍。」妳試圖挽救。

他微笑，現出眼角的笑紋，整個臉亮了起來。妳忽然想去信教，不管要唸幾遍聖母經都可以，只要妳可以跟隨這個男人，讓他帶領妳到任何地方去。

「我保證會在婚禮上穿它以茲證明。」他用那美妙的嗓音回答，害妳的膝蓋軟得像果凍。

「然後妳一定記得布魯諾啦，貞恩的哥哥。」貞恩的母親說，示意坐在桌尾某位苗條女郎身旁的深色頭髮男人。「他現在真的當上電視影集編劇了。」

妳忘了他會飛來參加婚禮。妳記憶中的布魯諾是個有點胖又滿臉痘痘，而且喜歡把妳推進牛糞堆裡去的怪咖。不過，生活似乎對他頗為厚愛。他的身材還是屬於結實型，但從妳上次看到他以來絕對瘦了很多，穿衣品味也進步了。沒變的是他那淘氣的笑容、蓬亂的黑髮，以及似乎有自己生命的濃眉。

「嗨，小臭妹，這位是凱特。」布魯諾說。他伸手摟住坐在他身邊的女人。她至少比布魯諾高了半個頭，五官清秀細緻。她親切地對妳微笑，妳發現自己立刻喜歡上她。

「沒帶男伴？」布魯諾賊笑。

妳正想回嘴，蘿倫阿姨卻說了：「妳想保留選擇權，對不對，親愛的？」妳臉一紅，想起了昨夜的貪歡。這樣說也是可以啦。

「唔，很高興看到妳這麼早就起床了，親愛的。」貞恩的母親說。

「我……我……我剛出去散步。」妳低頭看看鞋子。「我的球鞋放在家裡。」

「鬼扯。」布魯諾用那種假裝咳嗽來掩飾說話的幼稚方式吐槽。

妳感覺腿上怪怪的，低頭一看，發現面前站了一個小孩，一手摸著妳的大腿，一手挖著鼻孔。

「不准！」一個女人破口大罵。「不准用手指挖鼻孔！我要跟你講幾次才行！」然後又是一句：「東京！不要戳妳妹妹！不行，曼哈頓！馬上把刀子放下！」

早餐室裡忽然擠滿了小鬼頭。貞恩的表姊諾伊一邊飛撲去抓一個滿場亂跑的幼童，一邊對妳拋了個飛吻，那小鬼正要將一把看起來很危險的刀往嘴裡送。諾伊是諾伊琳的簡稱，但她從高中就被稱為諾伊了。直到她和她的高中小情人多米訂了婚，就變成了「多米諾」，一個毫無特徵的代號，再也不是獨立的個體。

此時多米也到了，搖搖晃晃地走在一堆看起來像外蒙古部族集體遷移般的壯觀行李之下，還有個似乎是大天竺鼠籠的東西。那裡面應該沒有老鼠吧？還真的有，一隻大花斑鼠。

「茜茜知道你們帶了不速之客來參加婚禮嗎？」妳問，示意那隻老鼠。

多米嘆口氣。「見過尤達貝。不，別叫我解釋牠的名字。女兒們堅持要帶他來。」

趁小鬼們騷擾爸爸和寵物的時候，妳偷偷打量起迪蘭神父。真應該找個人寫信去羅馬，導正一下這個情形。他真的帥到不應該只能遠觀。

「早安！」湯姆的伴郎麥奇拎著一頂摩托車安全帽，肩上扛了個西裝袋晃進屋裡來。他看起來風塵僕僕，肌膚曬成金棕色，就像剛從非洲叢林裡的吉普車上下來。麥奇是個成功的外科醫生，固定為無國界醫生組織工作，所以妳很少有機會和他相處。但貞恩已經對妳耳提面命了好幾年，要妳離他遠一點。他的花花公子事蹟堪稱傳奇。

麥奇和大家打招呼，接著向妳走過來。他過分熱情地緊緊擁抱妳，同時在妳耳邊低語：「昨晚很累？」用的是那種心照不宣的語氣，這個男人認得出一夜情隔日來不及換衣服的同類。還好這是個肯定問句，妳不用再為自己辯解。

布魯諾瞥妳一眼，低聲在女伴耳邊說著什麼。妳感到有點不爽。他算老幾，憑什麼對妳品頭論足？

「嗯，這個地方還不算太破舊。」麥奇研究著地面，一路從玻璃屋延伸到點綴著噴水池和薰衣草籬笆的老式鄉村花園。「誰有興趣來杯早餐雞尾酒？」他舉手吸引女侍的注意。「姑娘，我們想要點些飲料，現在。」

「我想我還是先回房間好了。」妳說。

「別忘了今晚的單身派對喔。」蘿倫阿姨喊。

「需要幫忙嗎？」麥奇說。「節目單上有什麼？脫衣舞男，陽具型吸管的雞尾酒，這一類的東西？」

蘿倫阿姨給他一個帶點猥褻的飛吻。「噢，我想我們可以做得比這些更好。」

「別這麼肯定。茜茜可是這裡的老大。」妳說。

「慘了。」她嘆口氣，走出去抽菸，順便和年輕的酒店行李員打情罵俏。

「妳確定我沒辦法說動妳和我一起喝杯雞尾酒？」麥奇問，「我們可以來杯『激情海岸』，或是『爆乳肉彈』。我想妳兩種都會喜歡。」

嗯。麥奇真是個蹩腳的花花公子。「這些把妹的爛招真的有效嗎？」妳問他。

他揚起嘴角，一副無所謂的樣子。

「而且，我之前看過，這裡沒有海灘。」妳說。

「來三十三號房找我，我會讓妳看看自己錯得多離譜。」他低語。

最好妳會去。妳才不是那種女人。

但話說回來……直到昨晚，妳也都不是那種會嘗試一夜情的女人。

「小姐們，晚上見囉。」妳對大夥說，刻意不對上麥奇和布魯諾的視線。貞恩的哥哥怎麼有辦法從你們十一歲開始就一直這麼討人厭？

請翻至第190頁。

這是新娘的單身派對

「什麼會比瑪丹娜本人唱〈宛如處女〉更糟？」麗莎必須大喊才能蓋過音樂聲。

「是什麼？」妳喊回去。

「就是讓蘿倫阿姨來唱！來人殺了我吧！」

妳們爆出大笑，看著蘿倫阿姨在舞台上轉圈，目光牢牢鎖定年輕的酒保，後者一副手足無措的樣子，同時也興奮難耐。

麗莎對酒保招招手，使他把注意力從正對著麥克風大聲嬌喘的蘿倫阿姨身上移開。「一輪龍舌蘭酒，麻煩你。」

茜茜是唯一一個無法融入環境的人。她本來想去做SPA，或在酒店裡面辦個安靜的好姊妹之夜，但麗莎和蘿倫阿姨否決了她的提議，堅持大家一起到本地的鄉村酒吧享受一晚難聽的卡拉OK和要人命的雞尾酒。

這地方擠滿了人，妳緊張地四處張望，希望不要遇到被妳拋棄的那位飛行員。不然會很尷尬。

「這是有多好玩啦？」貞恩在喧鬧聲中大喊。

「超好玩的。」妳說，試著讓自己聽起來有點說服力，但她知道妳對卡拉OK的感覺——妳連淋浴時都不唱歌了，更別提在一百個人面前唱。

「我真無法相信，我後天就要結婚了！」貞恩打起嗝。

「我也無法相信！」妳說。

「哎呀，他們有『波西米亞人狂想曲』！」諾伊翻著歌本，尖叫起來。「我超愛這首歌！」隨著很明顯不是處女的蘿倫阿姨演唱完〈宛如處女〉，趁著香檳的酒勁，諾伊咯咯笑著衝上舞台，準備謀殺另一首無辜的歌曲。

「敬我最後一夜的自由！」貞恩舉杯，喝乾一口杯中的龍舌蘭酒。「妳知道，妳是我在這整個世界上最好的朋友，對不對？」她口齒不清地說。

「對，現在我最好的朋友要結婚了。」

「對……關於這一點……」她拿起一個酒杯墊。「萬一我犯了這輩子最大的錯怎麼辦？」

妳的背後竄過一股擔憂。「所有的新娘在結婚前都會想些有的沒的。」妳模稜兩可地回答。

「不，但如果是真的呢？」貞恩的下唇開始打顫。

「妳只是有點想臨陣退縮，這很正常啦！」

「我知道湯姆不是全世界最有趣的男人。但他會是個好爸爸。」

「老天啊，妳不是懷孕了吧？」

「什麼？當然沒有！我的意思是以後啦。我只是不太確定他就是……」她支吾著。

「什麼？」

「沒有啦，沒事。他愛我，而且他是個好人，而且怎麼說也已經太晚了，我們現在也沒辦法拿回訂金。」

「妳是什麼意思？妳想取消婚禮？」妳嚇壞了，雖然心裡有個極小的部分精神一振，這樣就不必穿那件被天災和魔鬼蹂躪過的恐怖禮服。

「沒有啦，只是……我一直在想一些事情……」貞恩說。

「什麼樣的事情？」

「妳知道我從沒和其他人交往過，對不對？」

「對，但妳吻過別的男人。」

「是有親吻，但我從來沒和其他人以那種方式在一起過。」

「貞恩，妳和湯姆從大一就開始約會了。如果妳睡過另外五十個男人，我才會擔心好嗎！」

「但如果我們的性愛真的糟到不行，我也無從得知，因為我從來沒和其他人睡過，對嗎？」

「性愛真的糟到不行嗎？」妳問。

「我不知道。重點就在這裡。如果它其實是很糟的怎麼辦？」

「拜託妳好不好，貞恩。我想它糟不糟妳心裡有數！」

「但妳明白嗎？我沒得比較啊！」貞恩把頭埋在手中。

妳拍撫她的背，思索是否該告訴她妳個人對湯姆的疑慮。一方面來說她太醉了，明天早上她可能什麼也記不得。但另一方面來說，萬一她記得呢？妳不想為結束一個根本還沒開始的婚姻負責。而且就算妳沒那麼喜歡湯姆又如何？就像飛行員說的，要嫁給他的人又不是妳。

貞恩抬起頭：「老實告訴我，妳覺得我現在做的是正確的事嗎？」

如果妳決定告訴貞恩妳真正的想法，請翻至第194頁。

如果妳決定保持沉默，請翻至第196頁。

妳決定告訴貞恩妳真正的想法

「所以，妳真的認為我做得對嗎？」貞恩糾纏不休。

「怎樣才算是『對』？」妳開口。

「好吧……妳覺得湯姆是適合我的男人嗎？妳喜歡他嗎？」貞恩問。

「我當然喜歡他呀。」

「但是真的那種喜歡嗎？」

「不是，但我又不是要嫁給他的那個人。我不需要真的喜歡他。」

「好吧……所以妳是因為我才喜歡他的？」

早死早超生。寧願現在進行這番對話，也好過十年後再談。

「貞恩，我覺得他……」

「噢，老天，我愛這首歌！」貞恩跳起來衝向舞台，她的母親和蘿倫阿姨正忙著殘殺〈野東西〉的副歌。

妳懷疑她如此匆忙地離開座位，是因為她不想聽妳接下來要說的話。好吧。現在也不是對那些希望只是一般婚前緊張症狀火上加油的時候。她明天早上或許一句都不會記得。有些事情還是不要說開來比較好。多虧了「穴居人合唱團」。

請翻至第200頁。

妳決定保持沉默

「湯姆對妳好嗎？」妳問。

「嗯，無庸置疑。」貞恩說。

「他會逗妳開心嗎？」

「大部分時候。」

「他誠實嗎？」妳說。

「過分誠實了。」

「最重要的一點：他的小弟弟尺寸大嗎？」妳一本正經地問。

貞恩爆出一陣大笑，接著從椅子上一躍而起，喊著：「老天啊，我愛這首歌！」她衝過去加入麗莎和凱特，她們正在唱凱蒂．佩芮的〈我吻了個女孩〉。

所以妳還是沒告訴她妳真正的想法。但明天早上貞恩真的會記得這一切嗎？

如果妳想留下來再聽一首歌，請翻至第198頁。

如果妳已經醉得差不多，該回酒店去了，請翻至第220頁。

妳想留下來再聽一首歌

該來的躲不掉，有人點了〈我會活下去〉。卡拉OK加上單身派對：這是宇宙的定律。

妳們全都擠在麥克風旁邊，唱著已經滾瓜爛熟的歌詞，不會唱的就混過去，因為時間已經很晚，妳們又全都喝得太醉，沒辦法跟上小螢幕裡那顆提詞球。客人們有不少人都跟著唱起來，其中一些甚至還在舞台前方闢出一塊搖滾區跳起了舞。

隨著妳們飆到第二段副歌的最高音，麥克風忽然沒聲音了。蘿倫阿姨繼續唱不停，完全不知道（或不在意）自己正在清唱，但妳們其他人都停了下來，群眾發出失望的呻吟。貞恩和麗莎敲敲手裡的麥克風，還是沒反應，只剩背景音樂獨自播放。

卡拉OK人員撥弄了幾個按鈕，接著聳聳肩。「抱歉啦，小姐們，一定是什麼東西短路了。」

妳們全都意興闌珊地走下舞台。當妳經過DJ身邊，瞥見他正把一個東西插回控制台上的小孔。麥克風上的小綠燈閃了起來。妳瞪著他看，他也看回來，一臉沒在怕的樣子。

妳怪不了他：一個男人可以忍受多少次的〈我會活下去〉難聽翻唱？

而且天色已晚，妳們全都有點醉，不管怎樣都是該回酒店的時候了。

請翻至第220頁。

妳回到酒店裡

該死，妳找不到妳的鑰匙。妳在包包裡翻找，但運氣很差。妳走去接待櫃檯，那兒似乎晚上沒開。

天知道麗莎上哪去了，貞恩也不見人影，她和蘿倫阿姨搭的是另一輛計程車。妳思索著是否要去敲那惡名昭彰的三十三號房門，麥奇的「愛巢」。也許妳可以假裝受傷，請他幫忙診治一下。你們可以玩醫生遊戲。不，妳還沒醉到那種程度。妳永遠不會醉成那樣。

妳是否該打給夜間值班經理？但真的太晚了。妳唯一的選擇就是試著從酒店陽台爬進房間去。妳記得沒鎖上落地窗。妳脫下高跟鞋，走上屋外的草地。

把裙襬塞進底褲，妳爬著跨過陽台的欄杆，躡手躡腳地經過第一間房。哪一間是妳的啊？再過去的第二或第三間吧？大約如此。謝天謝地，第三間的落地窗開著，妳溜了進去。

妳點亮床頭燈，但看到的卻不是妳放在地上的行李箱，而是一件皮夾克和一頂安全帽。到頭來，妳還是進了三十三號房。

妳聽到門上傳來開鎖的聲音。該死，妳要怎麼解釋為什麼會三更半夜出現在麥奇的房間裡？妳衝回陽台上，脫衣的聲音和濃重的喘息使妳停下腳步。麥奇還有同伴。他低吟：「噢，寶貝！」

然後妳聽見一個女人的聲音，呢喃著他的名字。

妳咬著舌頭避免自己叫出聲來。妳到哪裡都認得出那個聲音。妳慢慢退回陽台上，小心翼翼地繞道以免撞上那張鍛鐵桌。

妳在腦裡回放今晚的一切，試著理解剛才撞見的事情。沒錯，貞恩是想臨陣脫逃，但麥奇卻是湯姆的伴郎，真他媽的。

妳火速衝向下一個房間，這間總該是妳的了。一把推開落地窗直接鑽進被窩裡，把臉埋在枕頭中。哦，老天。真是一團亂。「天老爺！」妳喊。

「上帝！」一個男人驚叫。

妳的心臟幾乎要從嘴裡跳出來。床頭燈打開了，妳眨眨眼以適應光線。搞什麼鬼？迪蘭神父正躺在妳身邊的被單裡。「耶穌、瑪莉亞和聖若瑟！」他說。

「我以為你不能講這種話。」妳脫口而出。

「我當然該死的可以，特別是在這種情形之下。妳在我房間做什麼？」

「你的房間？這是我的房間啊！」

妳四下打量，醒悟過來，這真的不是妳的房間。一件黑襯衫和教士領襯掛在衣櫥門上，床頭桌上有串念珠和一本彌撒經書。還有個看起來像酒壺的東西。

迪蘭神父踢開被單，站起身來。他只穿了一件四角短褲，即使如此妳還是震撼不已，腦中的某個小角落記錄下他的身材堪稱完美，寬闊的肩膀連接著修長精瘦的身軀。他一定意識到妳的目光，隨即走到行李箱旁邊拉出一件T恤套上，接著才坐到妳身旁。

「妳沒事吧？妳的臉白得嚇人。」他說，這次溫柔多了。

淚水刺痛妳的眼，自己也覺得丟臉的是，妳竟然開始吸鼻子。「對不起，我今天晚上過得不太好。」

迪蘭神父不知從哪裡變出一條老式的乾淨白手帕，將它遞過來。「來，擤擤鼻子。」他說，溫暖的手覆上妳的背。「妳嚇得我魂都飛了。我需要喝一杯。不如我也幫妳倒一杯，然後妳可以告訴我發生了什麼事。」

他從酒壺裡倒了些威士忌出來，將酒店的水晶酒杯遞給妳，妳背倚著枕頭坐好。

「妳為什麼這麼傷心？」他問，和妳併肩坐在床上。

「我剛才看到令人極度震驚的事情。」妳說。「我們去了卡拉OK，大家都喝了不少……」妳頓了頓。「聽我說，這件事是超級機密喔。貞恩是我認識最久的好朋友。我必須要確定你不會告訴任何人。」

「我保證，妳告訴我的事情絕對不會有第三人知道。」他說。「這就像是在做告解。除非妳的朋友計畫要炸掉教堂，這種情形我可能要先知會一下主教。」

妳淚眼迷濛地笑了一下。「貞恩本來在談關於臨陣脫逃的事，說她竟然只和湯姆交往過。」告訴一個神父這方面的事有點怪，但能說出來真好。「然後我就被鎖在房間外面，我爬過陽台，我知道，這很沒道理，但後來……後來……我看到貞恩在麥奇的房間裡。他們在一起。他是湯姆的伴郎耶——他們的腦子是不是有問題啊！」淚水滾落妳的臉頰。

迪蘭神父摩娑著冒出鬍碴的下巴。

「難怪人們老覺得禁慾很難。啊，來來來，小傻瓜，沒有人丟了性命啊。」他摟住妳的肩膀。「妳相信貞恩和她要嫁的這個男人會白頭偕老嗎？」

妳猶豫了，想起心裡那些疑慮。但絕不容反駁的是，湯姆既可靠，人品又好，而且很愛貞恩。「嗯。可能吧。但我現在該怎麼辦？」

「就我看來，妳有兩個選擇。妳可以坦白告訴貞恩。去找她，告訴她妳看到的。她可能需要有個朋友，可以跟她談談。或者妳可以把剛才的畫面當成酒後一時眼花，婚禮會讓所有人發瘋，最懂事的做法就是保持沉默。」

「但哪一個做法才是正確的？你是神父，能不能至少給我一點暗示？」

迪蘭一瞬間有點沮喪，妳更加仔細地打量他。他眼下的陰影述說著長期的疲累。「我不確定妳懂不懂這事情有多麼諷刺，妳要我告訴妳怎麼做正確的事。」他嘆口氣。「但我自己都遭遇到信仰危機了，這就是為什麼我半夜兩點還睡不著的原因。」

「什麼？你的意思是你不再相信上帝了？」

他大笑。「不，這不是問題所在。」

「所以是，呃，禁慾那方面的事？」妳孤注一擲，私心裡忍不住希望他準備背棄他的誓言。

「很奇怪的，也不是。雖然有個美麗的女人穿著緊身禮服、打著赤腳出現在我房間裡……」他露出那種破壞力十足的笑容，妳的胃一下子翻騰不已。

妳發現自己靠在他的肩上，如此接近，妳可以聞到他皮膚上溫暖、帶點辛辣的香氣。他繼續說：「不，比那些再深一點。我質疑自己的用處。這陣子，我感覺自己就像個木偶，只要有人需要宗教儀式就被牽出去帶走。但在此同時，神應該希望我去打擊真正的邪惡：人口販賣、環境破壞、國家內戰、這一類的事情。」他輕嘆。「我知道當教區裡有居民生病或逝世，或者他們有心事要抒發時，我真的還能派上點用場。但妳知道真正的癥結在哪裡嗎？」

妳聽得入神。「告訴我。」

「是婚禮。過去十五年來，我幫將近一千對情侶證過婚。大概有四分之一已經離婚或分居了。我不介意他們站在我面前，對著他們並不相信的神立下誓約。我也不關心他們有沒有共同生活在一起。我更不會因為這些人除了要讓他們的第一個孩子受洗之外，可能再也不會來拜訪我的教堂而感到困擾。」

他轉向妳，一手撐著頭。此時妳正鬆鬆地握著他另外一隻手。「請接著說。」

「是因為他們在還沒徹底想清楚自己在做什麼之前，就立下了如此嚴肅、重要的誓言。每個人都會被婚禮的禮服、菜單、完美的日子給弄昏了頭，卻對未來五十年要共享人生這件事代表什麼缺乏概念。我總是聽到情侶發誓會珍愛對方並且『同甘共苦』，但卻對『苦』代表些什麼一無所知。」

哇。妳從來沒以這種角度思考過。還好茜茜沒聽到這些。

迪蘭繼續說：「然後就是費用。年輕愛侶會因為婚禮而負債，有時候申請離婚時都還沒把婚禮的費用付清。」

他捏捏妳的手。「妳看我，講來講去都是我自己，而妳才是心亂如麻的那個人。妳感覺好點了嗎？」

妳幾乎忘了貞恩的事，如今妳的兩難處境又以雷霆萬鈞之勢捲土重來。「你真的不打算告訴我，我該怎麼做嗎？」妳說。

「妳知道我不能。她是妳交情最久的好朋友，我認為妳心裡已經有數，接下來該怎麼做才是最好。照著黃金準則做，妳就不會出錯。」

「黃金準則？」

「『己所不欲，勿施於人』。翻譯過來就是：心存善念。」

「謝謝。」妳對他露出一個歪七扭八的笑容。「我確實感覺好多了。」

「有意思的是，我也一樣。看起來我才是做了場告解的人。」他再次對妳瞇起眼睛，眸色隨之轉深，出現某種比溫暖友誼更強烈的情緒。

他牽起妳的手，輕吻了一下，妳全身上下因為他溫暖的嘴唇而冒出雞皮疙瘩。

「妳該走了。不然我現在最大的麻煩就會變成我的守貞誓言將面臨極大的挑戰。」

妳滑下床，接著轉過身（妳控制不住自己）彎腰吻上他那對形狀極美的嘴唇。你們的唇瓣相互留連了好一會，妳知道自己曾有過許多熱情洋溢的吻，但卻從來沒有任何一個比這個吻更加慈悲。

妳用力抽身離開，走出房門。貞恩需要妳。妳的胃糾結成一團。黃金準則，妳覆誦。如何才會更有善念：直接找她對質，還是假裝非禮勿視？

如果妳決定告訴貞恩妳已知情，請翻至第207頁。

如果妳決定假裝什麼也沒看到，請翻至第210頁。

妳決定告訴貞恩妳已知情

妳深吸一口氣，輕輕敲了下貞恩的房門，希望她已經回來了。她一把拉開門，臉上淚痕猶存。

「我是白痴！我做了很糟糕的事！」她啜泣著，一邊拉妳進她房間。

不需要和她對質讓妳如釋重負，妳和她一起坐到床沿，拿起床頭桌上的面紙盒遞給她。

貞恩開口，抽抽噎噎地哭著說出整件事情的來龍去脈。她從卡拉ＯＫ酒吧回來之後，正要走回房間，剛好碰到醉茫茫的麥奇。兩人聊了幾句，她跟著他回去房間拿個東西，然後就……

「妳是腦袋壞掉了嗎？」妳很氣。

「我不知道，我從來沒和其他人在一起過，我很不安，我只是想知道那是什麼感覺。」她嚎啕大哭。

「所以妳就和伴郎上床？」妳問，死命想保持冷靜，但毫無成效。

她哭到一半，瞪著妳看。「妳瘋了嗎？我沒和他上床！我絕對不會那麼做。我們親吻了一陣，然後我可能摸了一下他的小弟弟……」貞恩用袖口擦擦鼻子。

妳很想把耳朵塞起來，但她還在說個不停：「就在那時候我忽然回神了。它怎麼那麼小！」

「真的嗎？」這倒出乎妳的意料。

「我指的是像直布羅陀香腸那麼小！真的，實在很小。」貞恩豎起小指頭揮舞。「老實說，我真沒想到它會這麼小巧玲瓏。」

「怎麼可能！」

「就是可能。會叫的狗不咬人。我當時就是這麼想的，我他媽的在做什麼啊？我立刻離開現場。我這輩子都不會再臨陣脫逃了。遇到湯姆是我的福氣。我知道妳認為他很無趣，但其實不會，真的。而且就算他很無趣，也是我心愛的那種無趣。」

「妳會告訴他嗎？」妳問。

「或許吧。」貞恩忽然正色說。「可能他在單身派對也做了什麼壞事，那麼，我們就扯平了。」

「妳知道這是幾乎不可能發生的事，對吧？」妳說。

「我知道。所以我才愛他。」

貞恩的視線望向遠處，妳留意到她的表情。或許這是妳第一次了解到她有多愛他。妳伸臂摟住貞恩。「最後都會沒事的。」妳向她保證。「妳只要記得黃金準則。」

「黃金準則？」她問。

「心存善念。」

請翻至第212頁。

妳決定假裝什麼都沒看到

妳走回房間，四周一片死寂。不出所料，妳在外套口袋裡找到了一直放在那裡的房間鑰匙。妳感覺心力交瘁。一部分是因為宿醉開始發威，另一部分則是因為情緒被掏空了。

走廊底端有個人在那裡，雙手抱膝蜷坐在地上，頭低低的。是貞恩。「妳上哪去了？」她說，搖搖晃晃地站起來。「我有話要跟妳說！」她把妳趕進她的房間。

「我需要妳幫忙！我犯了個可怕的錯誤！」她說，跌坐在地板上，淚珠沿著臉頰滾落。

「我知道，我看到妳和麥奇在一起！」妳無法阻止自己。

她抬頭看著妳。「妳說妳看到是什麼意思？」

妳解釋自己找不到鑰匙，又糊裡糊塗闖進了麥奇的房間，但某種原因讓妳略去關於妳遇到迪蘭神父那一段。

貞恩又開始啜泣。「我不知道我是怎麼了！我一直都想臨陣脫逃，又苦惱我從來沒和其他人交往過……」

「所以妳現在就跑去和其他人交往？」妳沒好氣。

「什麼？妳瘋了嗎？我沒睡他啦！」
「沒有嗎？」
「沒有，絕對沒有。我們只是親吻，然後我摸了一下他的小弟弟……接著我就整個人嚇呆了。我必須立刻離開那裡！這種感覺好差勁。」她用溼答答的面紙擦臉頰。「而且……麥奇的尺寸有點小。事實上，是非常小！」
「真的假的？」妳揚起眉毛。「小巧玲瓏，嗯？」
「就像猴子的手指！」貞恩說。妳也挨著她坐在地板上，隨後同時爆出一陣大笑，直到妳們喘不過氣。最後貞恩擤擤鼻子，一臉嚴肅地看著妳。
「原來我已經擁有的才是最好的。我真的搞砸了一切。妳認為我應該告訴湯姆嗎？」
「告訴他什麼？妳愛他的小弟弟？嗯，我認為妳下半輩子應該不停地告訴他這一點。其他的我們自己放在心裡就好了。」
貞恩做夢般地點點頭。「我想我們會白頭偕老的。」
「我也這麼想。」妳說。想到麥奇那小不拉嘰的玩意，便咧嘴大笑。

請翻至第212頁。

妳回到自己房間

妳穿過那壯麗的古老大宅，信步走回房間，鳥兒從睡夢中醒來，晨曦漸漸亮起，妳聽到走廊底端某間房中傳來嘻笑聲。妳躡手躡腳地靠近。

那裡是洗衣房加儲藏室，門虛掩著。妳聽到更多嬉笑和脫衣的窸窣聲，妳偷偷往裡面看。

妳看到凱特坐在其中一部大馬力洗衣機上，麗莎站在她腿間。她們熱情地親吻對方，眼眸緊閉。麗莎捧著凱特的臉，凱特的手指沿著麗莎的脊椎往下。妳踮著腳離開，有點昏眩，隨即甩甩頭。今晚每個人都找到樂子了嗎？

回到房間裡，妳回想起目睹過的每件事。那狂野的卡拉OK，撞見貞恩和麥奇在一起，多認識了迪蘭一些，這真是個如颱風過境般的夜晚。妳甚至還不知該怎麼消化剛才洗衣間裡的那一幕。

可憐的布魯諾，雖然妳受不了他，還是為他感到些許遺憾。稍後當妳躺到床上，又忍不住想起迪蘭。迪蘭神父，不，妳還是寧願叫他迪蘭。

妳搖搖頭，不再去想那如樂韻的口音和性感的嘴。以這種墮落的速度，妳會直接下地獄去。而這個週末根本還沒開始。明天晚上是婚宴彩排——不，等等，已經是明天了。

但妳白天要做什麼？妳必須離開酒店，這是一定的，不然茜茜會把妳綁架到婚禮企畫煉獄裡去。貞恩整天都會和蘿倫阿姨在一起，所以她不需要妳。妳可以睡晚一點，然後可能去SPA做個比基尼除毛。雖然那總是很痛，按摩一下可能比較舒緩。妳打個呵欠，睡醒再決定好了。

去做蜜蠟除毛，請翻至第214頁。

去做按摩，請翻至第215頁。

妳來到ＳＰＡ做蜜蠟除毛

妳愉快地啜飲著杯裡的冰檸檬薄荷茶，一邊等著美容師出現。來這裡只做比基尼除毛，而不是其他沒那麼激烈的療程其實滿可惜的。可妳今早沐浴之前低頭認真看了看底下的狀況，發現妳的小品盆栽已經開始長得像亞馬遜叢林了。

「對不起，者個週末沒有咪蠟療程噢——咪蠟機燒壞了。但如果妳要改做按摸，窩們剛好有客人取消預約。」漂亮高䠷的美容師奧佳踩著高跟鞋走過來，慢吞吞說道。

如果妳想做按摩，請翻至第215頁。

如果妳想回酒店，請翻至第220頁。

妳決定做按摩

妳俯臥在按摩床上，全身赤裸，只蓋著一條溫暖鬆軟的毛巾。房門打開，一個男人走了進來。

「妳好，我是克勞德。」他說，禮貌地微笑。

妳也回應他的微笑和招呼。妳從沒遇過男性按摩師，但妳還滿期待的。感覺像在做一件時尚又成熟的事。克勞德身形纖細，膚色看起來像是長年食用小麥草和維他命奶昔的結果。手臂倒是肌肉結實，妳猜他可能還是個瑜伽愛好者。

他打開一個瓶子，房內盈滿松木和尤加利樹的香氣。從按摩床的洞裡妳只能看見克勞德那被白色亞麻長褲遮蓋的雙腿，他正繞著床走動。

「來吧，只要告訴我力道是否太輕或者太重，好嗎？」他說。妳點頭，感覺他的手撫上妳的背，肌膚上的按摩油很溫暖，他的手指時而輕柔時而強力地按壓著妳。妳呼出一口長氣，在他按摩妳緊繃糾結的肩頸肌肉時愉悅地嘆息。接著他以綿長均勻的力道一路捶打妳的脊椎兩側。

他的手指沿著妳的背不斷往下方去，接著把毛巾再往下捲，使妳的半個臀部暴露在他的手指底下，他的手指顯現出魔力，讓妳每一絲緊繃都隨著揉捏、捶打、搓揉釋放開來。隨著他的手指來到妳的臀瓣上方，妳感覺自己的私處起了反應，不禁吃了一驚，妳記不得是否曾因為按摩而感到興奮。妳懷疑到底是因為妳的按摩師是個帥哥，還是他那些應該投保幾十億的金手指造成的。

「妳可以翻過身來了。」克勞德說，在妳胸前蓋了條清爽溫暖的毛巾，讓妳轉身時不至於走光。接著他倒了更多的按摩油在手中，開始按摩妳的身體正面。妳感覺那些靈巧的手指來到妳的肩膀，接著往下移動，按摩妳的胸部上方。

妳低吟出聲，在毛巾下微微分開雙腿。他就站在妳右側，妳的頭剛好對上他的腰際。透過薄薄的亞麻長褲，妳幾乎可以看見他下體的形狀。那是勃起，還是燈光造成的效果？

他的手指在妳胸前揉捏，妳在考慮要不要與他更進一步。這會需要額外付費，還是一種互相得利的雙贏局面？如果妳真的想要來個「特別服務」，妳要怎麼讓妳的按摩師知道？這種事有沒有專屬的暗號？

妳想做些暗示，請翻至第217頁。

如果這不是個好主意，請翻至第218頁。

妳決定提議來個特別服務

妳膽子大了起來。用手肘撐起身體，對克勞德拋個媚眼。「有興趣來個『特別服務』嗎？」

「搞什麼鬼？」克勞德急忙抽回手，躲得遠遠。

「對不起，我剛才以為你……我以為這是……」妳的嘴發乾。

「妳怎麼敢這樣？我必須請妳離開了。」克勞德大吼。

「噓……噓……」妳說，擔心有人會聽見。「我真的很抱歉，我不是故意……那是個誤會……我們可以假裝沒有發生過嗎？」

「妳以為這裡是什麼機構？而且妳以為我是什麼樣的按摩師？我在瑞典受訓過的，妳可知道？妳真的應該覺得丟臉！」他拿了張面紙，氣呼呼地把手上的按摩油擦乾淨。

「等一下，」妳在他衝出房門時大喊。「對不起啦！不要走！我的時間還剩十五分鐘耶！」

妳享受了按摩（勉強算數），準備好參加婚宴彩排了。請翻至第220頁。

妳並未做出不適當的提議

即使妳真的很想說些暗示的話，但就是沒辦法那麼前衛。克勞德開始按摩妳的雙腿，妳閉口不語。他揉捏著妳的腳踝，接著是妳的小腿肚，之後以靈活有力的手指按壓膝蓋上方的肌膚。接下來他慢慢移向妳的大腿，一隻完畢換另一隻，捶打妳肌肉的力道恰到好處。

妳感覺妳的私處在毛巾下悸動，他的手指就在寸許之外。妳必須集中精神，不讓自己挪動臀部使他不得不再往上觸摸妳。妳想像著他修長靈巧的手指離開原先的路徑，鑽到毛巾底下，一隻接一隻滑進妳體內，妳忍不住迸出一聲呻吟。

「會痛嗎？」克勞德問，停下手邊的動作。

妳清清喉嚨才能開口。「不，非常好。」妳啞聲回答，他的手指繼續旅行，用大拇指抵著妳的肌膚滾動。

「今天的療程就到這裡了。」克勞德宣布，妳緩緩睜開眼，全身泛出一股失落。妳還沒準備好要結束這一切。

「小心不要一下子坐起來，妳可能會覺得頭昏。」克勞德在妳的上方說。「妳可以慢慢穿回衣服。等準備好了再出來，不用趕時間。」接著他就離開了，留妳一個人在這光線幽暗的按摩室裡。

妳繼續仰躺著，慢慢呼吸，每條神經都舒緩而放鬆，但神經末梢卻活躍無比。妳沿著腹部撫摸自己，感受按摩油在肌膚上的滑溜觸感。接著妳用另一隻手沿著身側來到臀部上方，拉起毛巾丟到地上。妳的掌心覆蓋著小丘，非常輕微地施壓。妳稍稍挪動臀部，注意到時間不多了。

妳併攏大腿，夾緊私處，一波強烈的需求射向妳全身上下。接著妳把手探進那兩片濕潤的唇瓣間，手指在炙熱的肌膚中滑動。妳用中指找到小蒂，按壓著它，接著滑下小縫，又滑回來。妳輕點小蒂，接著用兩指夾住它，必須極力阻止自己嬌喊出聲。妳用兩指深入私處，那裡的肉壁熾熱而渴切，將妳吸得更深。妳將臀部往上輕抬，抵住正按壓著小蒂的掌心，接著探入第三隻手指。妳抬起雙腿將之張開，好讓手指可以更加深入，直到妳的高潮以少見的強度開始爆發。抵著掌心的小蒂像是著了火，妳的身子一陣陣抽搐，每種感觸都被放大，雙眼緊閉。

等到那一波波強烈的快感終於緩緩平息，妳抽出手指，繼續躺著直到身體恢復平靜。之後妳舒適地伸個懶腰，爬下按摩床，穿回自己的衣物。妳從未感覺到如此輕鬆自在。

現在妳準備好出席婚宴彩排了。請翻至第220頁。

今晚是婚宴彩排之夜

今晚就是婚宴彩排了，妳穿著胸罩和底褲，踏上房間的陽台，揮動著手指等指甲油乾。從妳房間往外看就是精心修剪的玫瑰花園，這個時間花香正濃郁，幾乎像縷縷輕煙飄過。遠方的湖泊和樹頂都像是鍍金般閃閃發亮。

「嗯哼。」

妳嚇了一跳，轉身看到已經換好晚宴服的布魯諾坐在隔壁的陽台上，手裡拿著一杯酒，單腳跨上陽台圍欄。妳衝回房間，抓起一件長T恤小心翼翼地套在身上，避免弄花手上的指甲油。然後走回房間外面。

「我沒想到外面還有人在。」妳說，兩頰緋紅。

「別緊張嘛，小臭妹。」布魯諾壞壞地笑。

「我的名字不叫小臭妹！你為什麼老是這麼討人厭啊？」

「但我一直都叫妳小臭妹啊，這是親暱的表示耶。」他驚訝地說。

「不，才不是。這是混球的表示。」

「我不知道妳不喜歡這樣。」

「你怎麼可能不知道？哪個女人會喜歡被人叫成小臭妹？」

布魯諾臉一黑。妳想起昨晚凱特和麗莎打得火熱的樣子，忽然為他感到心疼。

「對不起，妳說得對。我們不再是十一歲了，這樣很不適當。我不會再這麼叫妳了。」他說。

妳點頭，感覺這樣小題大作有點蠢。「我們小時候做過很多瘋狂的事，對不對？」

「我永遠不會忘記動感超人大屠殺事件。」

「我只是要報仇。你知道的，對那些今時今日可能會把你送進少年犯管教所的惡劣行為加以反擊。燒頭髮啦，用致命的牛糞攻擊啦，這一類的事情。」

「我想我應該解釋一下。在我們還小的時候，我一直都覺得妳很了不起。可能有點暗戀妳吧，我猜當時我唯一懂得的處理方式就是找妳麻煩。」

「你才沒有！」妳說。

「就是有！」他說，你們同時爆出大笑。

「真的？你說真的？你那麼久以前就對我有好感？」

「嗯。」他盯著妳的眼睛，妳無法移開視線。事實上，妳也不想那麼做。妳想要聽更多他暗戀妳的事，這真的讓妳對記憶中的少年布魯諾改觀。

「布魯諾舅舅！布魯諾舅舅！呼嚕諾球球！」多米諾夫妻在草地上氣喘吁吁地追著小孩子，小鬼們正在前方賽跑。

「下次再聊。」布魯諾說完，以驚人的矯健身手翻過陽台，蹲跪在草地上，絲毫不在乎弄髒那件漂亮的長褲。孩子們爬到他身上，要他背著在草地上來回奔跑。妳忍不住嘴角含笑。

妳差不多該離開房間去參加婚宴彩排了，門上忽然傳來輕敲，貞恩走了進來。妳從SPA回來時曾和她打了個照面，蘿倫阿姨正趕著她出門去做法式美甲，然後吃一頓昂貴奢華、喝得酩酊大醉的午餐，她發了個簡訊給妳，叫妳不用擔心她。

妳擁抱她。「覺得怎麼樣？」

「還有點宿醉，但蘿倫阿姨整天都在灌我喝血腥瑪麗。聽我說……我想清楚了，如果把昨晚的事告訴湯姆，也只是讓他難過而已。我現在非常篤定，我只想和他共度一生。但這會讓我像個膽小鬼嗎？」

妳想起迷人的迪蘭神父所說的話。「不。那會讓妳變得善良。每個人都會有發神經的時候。況且麥奇也不太可能亂講話，對嗎？」

貞恩嘆息。「是不可能。我們早餐後聊了一下，他心情也很差。」

妳有點難以置信，但決定還是少說兩句。「如果妳往歪一點的方面想，麥奇其實是幫了妳的忙。如果不是他那猴子般的袖珍小弟弟，妳可能還會繼續質疑湯姆。」

貞恩噗哧一笑。「聽起來有點誇張，但直到昨晚，我都不知道那東西可以這麼小！而且妳知道不是所有小弟弟都是彎的嗎？我還以為它們全都和湯姆的一樣。」

妳瞬間憶起和飛行員共度的那一晚，以及他那彎曲角度很古怪的勃起。但此時此地都不適合提起妳個人的脫軌行為。「不用講那麼細啦！說真的，貞恩，我很高興妳和湯姆能和好如初。」

「時間來不及了，我得走了。謝謝妳一直在我身邊。而且不會批評我。」貞恩再次擁抱妳，隨後匆匆離開。如果一切順利，這整場戲足以壓下妳對「湯姆是不是最適合她的男人」的疑慮。看得出來，如果沒了他，她會崩潰。

妳走向婚宴彩排會場，決定妳的下個任務就是去和麗莎談談她昨晚的課外活動。

「又見面了。」妳轉身，看到DJ從他房間出來，火辣的程度足以融化撞沉鐵達尼號的冰山。「我昨晚在找妳，我想妳可能有興趣來個黃昏小酌。」他說。

嗯哼，為什麼妳老是在錯誤的時間出現在錯誤的地方？這男人絕對能讓妳的脈搏加速。

「不如改天重約吧？」妳問。

「成交。」他說。

想也知道，茜茜以軍事化的精準度籌畫著這次婚宴。從服裝要求（休閒時尚）到座位安排（每個位子都配了一張以金漆書寫的花體字手工名牌），甚至場地。婚宴將在一個重新隔間的優雅宴會廳，所以只能容納一張窄長形的桌子。

妳繞著桌子走一圈，想找出自己的位子。這是私人宴會，只有親戚和熟朋友參加。妳找到座位了，左邊的名牌寫著麗莎，右邊則是茜茜。

「坐這裡。」妳看到麗莎走進來，忙喊了一聲。她穿了套合身的燕尾服，踩著一雙超高螢光粉紅高跟鞋以搭配她的髮色。妳很高興她能坐在妳旁邊，如此一來，妳便有機會質問她，關於妳看到她激吻（誰知道還做了其他什麼事情）新娘哥哥的女朋友那件事。

迪蘭神父坐到妳對面的位子上，妳的胃開始翻攪。他怎麼會每次見面都更帥？你們熱絡地打招呼，布魯諾和凱特隨後坐到了他的右手邊。妳無法忽視凱特和麗莎兩人的眉來眼去，眼神如火焰般熾熱。

妳在麗莎耳邊低語。「我知道妳昨晚幹了什麼好事。」

「耶穌媽的基督。」麗莎脫口而出。

「我們晚點再來談這事吧。」妳說。

「不是，妳看那邊！」妳順著她的視線望去，差點從椅子上跌下來。是前晚那位飛行員。他正走過房間朝妳而來。妳試著緩住呼吸。他來這裡做什麼？他是否一直在跟蹤妳？

「爸！」湯姆說，和飛行員碰了碰拳，接著擁抱他。

忽然一切都真相大白了。彎曲的小弟弟……有其父必有其子。妳睡了新郎他老爸。妳用皮包擋住臉，麗莎還在妳身旁傻傻張望，接著爆出一陣大笑。

「一個字也不許說！昨天晚上妳也有把柄在我手上。」妳厲聲警告。

湯姆陪著父親一桌桌打招呼，將他介紹給大家。可惡、可惡、可惡，妳想著，他卻愈走愈近。

飛行員看到妳，見到鬼似地多看了一眼。「是妳！」他說，接著發現了麗莎。「還有妳！」

「你們認識？」湯姆一頭霧水，但仍然很有禮貌地問。「但怎麼……」

「我們之前見過。」妳說，意識到自己的聲音莫名地高亢。

「嗯，你可以說她認識他，在某種意義上。」麗莎說，妳狠狠在桌下踢她一腳。

貞恩喊湯姆去她身邊，他再次狐疑地望了妳和他爸爸（他爸爸，老天啊）一眼，然後離開。麗莎調皮地偷捏妳一下，接著轉頭和凱特說話，留下妳和布魯斯・威利先生。

「所以你是湯姆的爸爸！」妳故作輕快。

「沒錯，而妳是……？」

「新娘的摯友。」妳說，妳知道自己的臉已經紅透了。

「世界真小啊。」他說。

「真的很小！」

「超小。」

妳絞盡腦汁想找話來說。「我怎麼會從來沒看過你……呃……出現在這裡？我是說在這間酒店。」

「他們客滿了。所以我才住另外一間。」

「喔。」

「那天早上我很想妳。」他靠近了些，語調親密。

妳扯扯禮服的領口，衣服忽然變得好緊。

「傑克！」蘿倫阿姨翩然降臨妳們身邊，一股昂貴的香水味襲來，她摟住他。薇薇安·魏斯伍德的晚禮服對婚宴彩排來說可能有點太隆重了，但這就是蘿倫阿姨。

「妳好，蘿倫。」飛行員說，輕吻她兩側臉頰。

「能再見到你真是太棒了！好久不見了，陌生人。」她嘟囔。「你的座位就在我旁邊，多美妙的驚喜啊！」她對妳眨眨眼，那種方式讓妳感覺其實她一點都不驚訝。

她勾住他的臂彎。「我們入座吧？來讓你的前妻吃點醋怎麼樣？」

傑克無奈地看了妳一眼，任由蘿倫阿姨把他拖走。

「真糟糕。」麗莎的注意力轉回妳身邊，妳嘀咕。「這週末附近有這麼多男人，為什麼我就剛好睡到湯姆的老爸？這都是妳害的，妳心裡有數。妳才是最先看到他的人！」

「管他是不是湯姆的老爸，他還是很帥啊！」麗莎說。

妳偷偷打量他，他就坐在桌子另一端，面對湯姆的母親和她的男友。蘿倫阿姨在他耳邊低聲說著什麼，一手撫著他的手臂。顯然妳和麗莎不是唯一覺得他帥的人。

好吧，妳已經熬過了晚宴的前五分鐘，而且相當痛苦難耐。妳伸手拿起酒杯，心想，只要再忍兩個半小時就好。

妳掃視著桌旁其他人。麗莎和凱特之間火花非常強烈，妳無法相信其他同桌的人都沒注意到這點。妳瞟了布魯諾一眼，但傻人有傻福的他似乎沒發現，當他發覺妳正盯著他看，對妳甜蜜地笑了一下。經過妳剛才對他那一番教訓，他一定心情很差。但妳很高興可以說出一切。根據這種速度，你們應該很快就能恢復友誼。

某人的手機響起，妳注意到傑克接起電話。接著妳看到他起身，對湯姆說了些話。

「我得先走了。」他對整桌人說，你們的視線短暫交會。

「臨時抓飛？」蘿倫阿姨問。

「差不多。我們明天早上婚禮見囉。」他再次看妳一眼，接著就離開了。妳懷疑那通電話是拯救你們兩人免於陷入尷尬的計策，妳坐回去，鬆了一口氣。同時又有些許失望。但這樣最好。如果妳早知道他是湯姆的老爸，絕對不會和他搞在一起。

妳的注意力轉回迪蘭神父身上。他真的迷人到無以復加，特別是穿著全套黑西裝時。今晚的他只能用英俊迫人來形容。而經過昨晚那一番推心置腹的深談，妳覺得你們倆多了種特殊的聯繫。那番對話幾乎比無意義的上床來得更加親密。他逗得諾伊哈哈笑，臉上的笑紋因那致命的微笑而顯露，但眼下還是有著黑眼圈。

那道做工複雜的義大利燉飯主菜吃到一半，妳感到桌下有隻腳抵著妳。剛開始只是碰了一下，當妳第二次感覺到它時卻變本加厲。妳僵住了，正要往口裡送的番茄乾停在半空。妳環顧四周。這一桌有諾伊，她正忙著把食物切成小塊餵孩子們吃，隔壁坐著迪蘭，他的旁邊是布魯諾，後者正和麗莎、凱特及蘿倫阿姨聊得起勁。妳正在苦思那隻腳會是誰的，卻恰好對上迪蘭的視線，他對妳咧嘴一笑。

老天啊，是他！他就是那個在桌下和妳勾腳調情的人！妳從未想像過昨晚那種來電的感覺，那股悸動從腳趾尖直竄到耳垂。他又一次對妳微笑，眼角笑紋深深，接著回頭繼續和離妳有點距離的貞恩母親聊天。

妳感覺他的腳又在動了。它輕擦過妳的腳踝，接著撤回。妳憋住氣，把叉子丟回盤內，被撩撥得失去了食慾。妳等著他的腳再次帶來刺激，懷疑這一切是不是妳幻想出來的。不對，這確實發生了，剛才被他碰過的地方還在發燙。迪蘭再次迎上妳的視線，這次他眨眨眼，讓妳更加深信不疑。妳把鞋子脫掉，向前伸出直至碰到目標，感覺腳趾踢到了某人腳踝的突起處。接著妳輕輕將腳往上提，慢條斯理地移上他的腿。

迪蘭的叉子「噹」一聲掉進盤內，隨即咳了起來，妳放下腳。諾伊拍拍他的背讓他緩過氣，接著又忙著去安撫巴黎或檳城或伯斯，那個小鬼正試著把脆皮雞腿（以味噌、薑汁和芝麻調味的）丟到水杯裡去。

迪蘭放下他的酒，訝異地看了妳一眼。妳繼續玩著食物，一臉無辜，但把腳勾回他的小腿，這次一路向上，接著又滑下，最後再往上移去，最後把腳抵在他的胯下，驚喜地發現那裡硬邦邦的。

妳可以看出來迪蘭努力想要保持冷靜自持。當貞恩的母親湊近問他關於老家教區新來的風琴手怎麼樣，他立刻把餐巾蓋在腿上。

趁女侍來整理桌面，迪蘭託辭離開。妳等了幾分鐘，無法呆坐著忍受煎熬，妳跟著他走出去。

妳一走出門外就撞見他，他抓著妳的手，把妳拉進一間黑漆漆的空宴會廳，地方很窄小，堆滿了備用桌椅，窗邊有張沙發。他帶妳走向角落，眼裡蘊藏著風暴，妳分不出是憤怒還是慾望。

他試著用三種不同的語句開場，但最後全數放棄，低吼一聲之後把妳擁入懷中。妳的胸口能感覺到他的心跳。

「我該拿妳怎麼辦啊？」他吻著妳的頭髮。妳在他懷裡扭動，急切地想要更多，仰起臉來朝他看。他深深地望進妳的眼睛，但不打算吻妳。

妳忍不住了。妳踮起腳尖，吻上他的唇。有那麼一會兒，他毫無反應。但在一聲滿足的嘆息之後，他在妳口中微啟雙唇。妳幾乎要因慾望和釋懷而暈厥，盡情享受著他口裡的柔軟和溫暖，並試探性地將舌頭滑入他口中。幾乎近似於折磨般地緩慢，他回應了妳，在口中與妳相遇，挪動頭部，鬍碴刮著妳的臉。妳扣住他的後頸，臀部貼著他磨蹭，無論他的心情多麼矛盾，下半身的勃起卻毫無疑問。

就像水壩潰堤，他整個人貼在妳身上，狠狠地吻著妳，雙手滑下妳的臀部將妳擁得死緊，幾乎稱得上粗魯。

你們跌到沙發上，他抓著妳，臉上有種泫然欲泣的表情。他閉上眼睛，用額頭抵著妳的。妳用手指畫過他的唇瓣，沿著他的下巴親吻，慢慢一路來到脖子，深深嗅聞著那濃郁的男性氣息。

「我們在做什麼？」他低語。

「你先開始的。」妳說。

「是我嗎？」

「對啊！」妳不滿。「在桌子底下用腳勾來繞去的是怎麼回事？」

「不是我，是妳才對！」

如果那不是迪蘭的腳，又會是誰的？妳忽然靈光一閃：只可能是布魯諾。妳回想起稍早前在陽台的那番對話，以及今晚他隔著餐桌對妳投來的目光。但那些都無法改變妳現在的感覺。

「對不起。我知道這不應該，但我從來沒有如此渴望一個人。」妳說。

「我也是。我只是希望事情沒那麼複雜。」

如果和他在一起事情會很複雜，請翻至第232頁。

如果妳想和他在一起，即使事情會很複雜，請翻至第236頁。

事情太複雜了

「我懂。」妳說。「我不想弄懂，但是我懂了。」

「哦，別再說了。」他再次傾身向妳靠近，捧起妳的頭，不顧一切地深深吻妳，舌頭和妳的糾纏翻攪，像個溺水的男人般緊抓著救生艇。這次換妳從這悠長的純粹狂喜中抽身離開。這耗盡了妳全身上下每一分意志力，妳知道之後會後悔莫及，但妳沒辦法再繼續下去。這樣做太危險了。

「迪蘭，我做不到，」妳說，握著他的雙手。「不是我不想要，此時此刻這是全世界我最想要做的事，但我沒辦法對此負責。這件事太嚴重了。」

你們在沙發上一動也不動，臉龐幾乎相觸，一時間只聽見彼此的呼吸。接著他用指尖滑過妳的臉頰，非常輕柔地吻了妳的唇。

「我不能留下來。」他說。

「這是什麼意思？」妳結巴了。

「我沒辦法留下來參加這場婚禮。這簡直虛偽到家了，我相信妳能了解。剛才……」他凝視著妳，繼續說，「正好讓一切有所決定。」

「等一下，」妳抓住他的手臂。「你現在不能走啊，貞恩的婚禮就在明天早上了。」妳感覺自己即將窒息。貞恩的神父擅離職守，這個責任妳負不起。茜茜絕對會殺了妳的。

「對不起。但我真的必須離開。」

「不！拜託，再考慮一下吧！耶穌會怎麼做？你捫心自問。他絕對會留下來幫貞恩證婚！」

迪蘭大笑。「我真希望二十年前就遇到妳。讓我告訴妳，耶穌不會留在這種地方。他可能會去某地的財神廟趕走一些銀行家吧。」他吻吻妳的鼻尖。「幫我跟大家說我走了，好嗎？然後告訴貞恩我祝她幸福。我希望她和她的小伙子能長長久久。」

「等一下！」妳喊，他站起身來，依然握著妳的手。「你要去哪裡？」

妳看到他的白牙在幽暗的房間裡閃爍。「我要去加入綠色和平組織。之後的事，誰知道呢。妳要好好照顧自己。」他吻了下妳的手，轉身離開。

該死。妳要怎麼告訴貞恩？妳最後還是蹣跚地回到私人晚宴廳裡面對行刑大隊，茜茜的眼神簡直犀利如刀。

妳推開一口未碰的巧克力慕斯，上面裝飾著香草卷和糖絲鳥巢，當妳忙著在外面逼神父還俗的時候，錯過了一整道菜。有人敲了敲酒杯，所有賓客安靜下來。麗莎擔憂地看了妳一眼，布魯諾則緊盯著妳。妳不知自己之前怎會沒注意到，他眼神裡的意圖昭然若揭。

「迪蘭神父在哪裡？」貞恩的母親問，四下張望。

妳清清喉嚨：「他要我替他表示歉意，他必須回到房間去……教區有點事情要解決。」這不是該在一群賓客前爆出的消息，尤其不該在大家都酒足飯飽之後。

致詞結束後，妳把貞恩和麗莎拉到一邊。「我必須告訴妳們一件事。」

「什麼事？」貞恩滿眼驚恐。她太熟悉妳歉疚的表情了。

「迪蘭的離開不是只有回房間而已。」

「喔，他媽的！妳這次又做了什麼好事？」麗莎馬上就聽懂了。

「什麼意思？」貞恩問，有點反應不過來。

「他必須離開，」妳結巴著說，「因為他有點……有點……信仰危機。」

「妳這下流的——」麗莎一時忘形，立刻摀住嘴巴。「妳真是該死的人間傳奇！」她舉起手想和妳擊掌，妳沒理她。

「不，不是那樣的！」妳抗議。

「妳睡了我的神父，所以他現在離開了？」貞恩的音量有點太過，許多人轉過頭來。

「我沒有睡他！」妳嘶聲說。「我們只是親吻了一陣子。我真的控制不住。我的意思是，妳看過這個男人吧？該死的，他簡直是個天神！」

「還好吧，他只是為神工作而已。」麗莎說。「但如果妳仔細想想，這會讓妳的所做所為顯得更糟糕。」

「妳在幫倒忙！」妳惱怒。

「事情是妳搞砸的，妳最好解決它！」貞恩焦慮地說，用那精心保養過的準新娘手指用力戳著妳的胸口。

現在誰要來幫新人證婚？請翻至第243頁。

妳想和他在一起，即使事情會很複雜

「……我懂，這很複雜。」妳誠懇地點頭。

「噢，去他的複雜。」他說，再次向妳襲來。你們的唇互相緊貼，妳閉上眼睛，沉醉在他的溫暖裡。妳發現這是自從見到他以來妳最想做的事。

妳的手怯生生地撫過他的胸，妳的撫摸使他在妳口中輕吟出聲。妳打開幾個鈕釦，好讓指尖可以感受他的肌膚。妳正在做的事幾乎是滔天大罪，妳鼻頭一酸，但也更加渴望他。妳感到他握著妳肩膀時指尖的顫抖。妳伸手撩開禮服的肩帶，讓它滑下肩頭，他的嘴沿著妳的脖子往下，接著吻上肩頭，最後非常溫柔地捧住妳的雙乳。

「好久好久沒這麼做了。」他低聲說。

「沒關係的。」妳說。妳推他靠向沙發，小心翼翼地跨坐在他的大腿上，不敢太過急躁。他兩手撩起妳的裙襬，在幽暗的燈光下，妳看見他的手在顫抖。妳協助他脫去這件禮服，他的掌心撫著妳的乳房，拇指緩慢輕柔地揉捏乳尖，那裡已經硬得如同鑽石。他撫弄了妳的雙乳好一會兒，接著低下頭。妳輕輕扶住他的後腦，任他吻上妳胸前柔嫩的肌膚。在他找到其中一側乳尖時，妳驚喘出聲，接著是另一側，他花了一段時間以雙唇讚美妳。最後妳拉起他的頭，深深地吻他，驚訝於你們竟然沒有同時著火。

妳無法再等待下去了，妳伸手摸向他的腰帶，手忙腳亂地想解開，腎上腺素充斥妳全身，使妳雙手顫抖不已。妳小心地解開他的鈕釦和拉鍊，摸向他已然立正站好的下體，多年來似乎只等待著妳的碰觸。他再次埋頭在妳的頸間，用鼻尖磨蹭，在妳握住他的勃起時猛吸一口氣。他低吼，頭往後仰，接著按住妳的手，讓它暫停下來，顯然這感受對他來說太過強烈。妳只好繼續握著他的硬挺，等他慢慢調整呼吸，適應這種感覺。妳震驚於自己對他造成的反應，但他的需求讓妳自身的飢渴更加難以忍受。

「我的皮包。」妳低語，他手忙腳亂地把它從妳身邊拿過來。女人的皮包對他來說是完全陌生的事物。妳接過皮包打開，把暗袋中的緊急救難保險套拿出來。妳不想和他分開，但必須站起來把濕透的底褲脫下。接著妳重新跨坐回他身上，一手繞著他的脖子，同時撕開保險套包裝。

妳溫柔地吻他，接著幫他戴上保險套。它是如此硬挺，妳擔心他還沒放進來就已經繳械了，可妳真的需要他進入妳體內。極度迫切，現在就要。「來吧，不管你準備好了沒。」妳在他耳邊說，調整位置對準他的勃起，以濕潤的下體將尖端裹住，接著慢慢沉下身軀。他低喊出聲，緊抓著妳的背。

他在妳體內猛力衝刺，妳必須竭力坐穩身子，讓這片刻盡可能延長下去，妳吻著他的前額，但迪蘭無法再多忍一秒，他不知不覺地達到高潮，肩膀在妳手指底下拱起。妳環抱著他，臉頰貼著他的。

當妳終於睜開眼睛，整個房間都變得不同了，燈光變了。迪蘭還沒回過神來，頭低低靠在妳的頸窩。妳感覺到汗滴，還是淚水？沿著他的臉頰滑落到妳的肌膚。

妳終於退開他身邊，當妳轉過身，看到貞恩和她母親張口結舌地站在房間的另一頭，兩人的手中都捧滿禮物。妳大驚失色，連忙推推迪蘭，同時匆忙套上衣服。

迪蘭發現她們時，刷白了臉。「噢，可惡。」他喃喃說著，拉上拉鍊。麗莎和茜茜跟在貞恩她們身後出現，手上也同樣捧滿包裝精美的禮物。茜茜手中某個禮盒掉落在地上，發出巨大的破碎聲響。

貞恩嚇得僵立在原地。

「天殺的！我還在想妳跑去哪裡了。上帝憐憫你犯的罪，神父！」麗莎說。

貞恩的母親倒退了幾步，跌坐在其中一張堆疊的椅子中，茜茜也照做。房間內出現一片死寂。婚宴禮儀指南裡面沒提到這種情況。

迪蘭扣著襯衫，同時清清喉嚨。「貞恩，我怕明天我沒辦法幫妳證婚了。」

「你怕？」麗莎問。

貞恩目瞪口呆，張開嘴，隨即又闔上。

「我離開恐怕是最好的選擇，造成你們的困擾，我很抱歉。」迪蘭說。接著他轉向妳，吻了一下，以拇指溫柔地擦過妳的臉頰，然後垂著頭離開了房間。

「下週日教堂見了。」貞恩的母親以機械化且過度禮貌的聲音在他身後喊。

「媽！」貞恩沒好氣。「我覺得不可能了！」

「貞恩，我**非常非常非常**抱歉。」妳說。

「我完全**沒想到**會這樣。」茜茜終於找回了聲音。

麗莎無法再忍耐下去，爆出一陣大笑，笑到整個人都站不穩。

「可惡，現在誰能來替我和湯姆證婚？」她捶了麗莎的手臂一拳。「不要笑了，一點都不好笑！」

接著她轉向妳。「我應該在十二小時內要結婚的。迪蘭神父從我還是小女孩時就認識我了。而妳、妳卻把這整件事搞砸了。那麼多男人妳都可以睡，為什麼偏要去睡我的神父？」

她母親和茜茜猛點頭，一臉嚴肅。妳真的麻煩大了。「貞恩——」妳開口。

但為時已晚，她的聲音變成了尖叫。「妳毀了我的婚禮！我要妳離開。現在！」

「但是——」妳試圖挽回。其他賓客開始陸續湧進這個房間，卻被大吼聲嚇住，但貞恩正處於少見的大抓狂狀態，連麗莎都拉長了臉。貞恩轉身面向所有人。「她睡了神父，現在他人走了，而我不知道明天要怎麼結婚。」她哭了出來，衝出房間。湯姆狠狠地瞪了妳一眼，追著她出去。

妳可以感受到一波波的反感襲來，妳瑟縮了一下。「對不起。」震驚使妳心煩意亂，妳從多米諾夫婦身邊走過，往自己的房間去，他們匆忙把孩子帶開，好像妳得了什麼傳染病。

妳把衣物丟進行李箱，卻把那件「鮭魚之恥」禮服留下來，整場災難中唯一的好事就是妳明天不用穿這件禮服了。

就在妳進浴室收拾盥洗用品時，臥室門上傳來輕敲聲。妳忍不住燃起一絲希望，難道是迪蘭回來了嗎？

貞恩衝進房內，臉上淚痕斑斑。妳們盯著對方看了許久，接著同時迸出一句：「對不起！」妳們緊緊擁抱，隨即又分開忙著找面紙擤鼻子。

「貞恩，我真的很抱歉。我沒想到這一切會發生。我也要妳知道，這不是一餉貪歡，只圖新奇好玩而已。我真的對迪蘭有感覺。」

「我也很抱歉對妳大吼，還那樣丟下妳。剛才真的嚇到我了，可能加上一點新娘恐慌症發作吧。我很遺憾迪蘭神父明天沒辦法幫我們證婚，但茜茜已經著手尋找備案人選。」

「她真的愈挫愈勇。」妳們相視苦笑。

貞恩牽起妳的手。「我很希望妳留下來。」

「這對我意義重大，謝謝妳。我也希望我可以，但那會非常尷尬。人們會議論紛紛，而我最不希望的就是搞砸妳的大喜之日。如果我靜悄悄地離開可能對大家都好，不是嗎？」

「也許吧。」貞恩嘆息。「無論如何，我會想妳的。還有迪蘭神父，妳會再和他見面嗎？老天，連問出口都覺得怪！」

「我不知道我們的未來有沒有機會。這種情況實在非比尋常。但即使我們永遠不會再相見，我也不會對我們所做的事後悔，那真的很美好。即使它徹底搞砸了妳的婚禮。」

「這樣講也太婉轉了！」貞恩再次用力擁抱妳。「祝妳好運。」她說。

「妳也是。祝妳有個完美的婚禮，也替我祝福湯姆。告訴妳爸媽我會另外寫信向他們道歉。」

在最後一輪臨別擁抱之後，妳悄悄走向櫃檯，請夜班經理幫妳叫計程車。

「我才剛叫過，幫另一位先生叫的，那位神父。」她說，挑起一道精心修過的眉毛。

迪蘭！妳拖著行李衝到大門外，看到一個修長的身影在草地上來回踱步。

「有時候我會希望自己還沒戒菸，」他看著妳走近時說，「妳到外面來做什麼？」

「我想我離開這裡比較好。不然我真的會變成明天那場宴會裡的壞仙女。」妳的聲音打顫。

他伸手摟住妳。「兩個風雪中的孤兒。現在怎麼辦？」

依偎著他的感覺像是得到救贖。「只要是好主意我都接受。」

迪蘭移開身子，看著妳的臉。「我已經心力交瘁，一直想鼓起勇氣去找妳，但現在妳出現了。」

他頓了一下，表情痛苦。「我必須老實說。我現在的狀況不是很好。我完全不知道未來會如何，更別說還會有一堆錯綜複雜的麻煩。但我只知道一件事，我不會棄妳而去。」

他的話令妳綻出一朵微笑。「我不指望會有任何宣告或承諾。但當我們在一起，至少我們可以這麼做。」

妳踮起腳尖吻他，同時聽到砂石聲響起，表示計程車已到達。

迪蘭摟著妳的肩膀，眼角的笑紋出現。「好。那我們走吧？」他拎起你們兩人的行李，扶著妳坐進車內。

「感覺像是結局才剛開始。或是開始要進入結局，或者還有別的。」他說。

妳蜷在他身邊，將他的臉拉近找尋他的唇。「或者還有別的。」妳說。隨即全心投入這個吻，任由計程車一路向前直駛而去。

（全書完）

妳必須找個人來幫貞恩證婚

「麻煩遞一下蜂蜜。」

茜茜瞪妳一眼，對妳的請求置之不理。吃早餐時被她忽視還算不上世界末日，至少貞恩和麗莎沒這麼做，何況這兩個人重要得多了。

而且也不是每個人都把妳當成這場婚禮中的眾矢之的：蘿倫阿姨認為妳是傳奇人物，諾伊認為妳是女神。為了贖罪（並且避開貞恩抓狂的雙親），妳自願在婚宴彩排結束後幫忙送小孩上床。妳最後成功地幫那隻寵物鼠尤達貝打了個迷你領結，穿上燕尾服圍兜，並且策畫了一場由牠、日出芭比和馬里布海灘肯尼出席的三人婚禮。這勉強能讓妳暫時不去想起崩潰的迪蘭以及他的匆匆離去。

「我整個晚上都在打電話，聯絡了五十公里內每一間婚禮場地。」妳說。

「很好，妳搞砸的，妳來解決！」茜茜沒好氣。她很暴躁，但其實也很愛這種狀況。當婚禮出包時，沒有人會比茜茜更耀眼奪目。

「我發現這地區今天有九場婚禮。六場都和我們撞期，所以只剩下三位有執照可以證婚的主祭人員。我和其中兩位談過，他們都有空且願意幫忙，只剩下第三位還沒有確認。所以至少我們有兩個人選了。」

「哦，謝天謝地。」貞恩癱坐回椅子內，頭上的超大髮捲上下彈跳。「我就知道一切會沒問題。」

茜茜看了眼手表，站起身來。「貞恩，化妝人員差不多到了。我們該走了。」

「等一下，不是還要選證婚人嗎？」看著茜茜揮趕貞恩離開，妳忙問。

「妳選就好。」貞恩回頭說。

「等一下！」

「記得確定妳不會又把挑來的人給睡了！」貞恩喊著，和茜茜一起離開。

「該死！」她們離開後，妳對麗莎說。

「怎樣？」她問。

「有個小小技術問題我還沒機會提。」

「是什麼？」

「那些有空的人裡面，一位是貓王模仿者。另一位是心靈導師。然後我還在等一位太平紳士[13]的答覆。」

「了不起！」麗莎噓了一聲。「現在沒有人以正常方式結婚了嗎？」

「飢不擇食嘛！」妳咬起指甲。

如果妳選擇貓王模仿者來證婚，請翻至第246頁。

如果妳選擇太平紳士，請翻至第280頁。

如果妳選擇心靈導師，請翻至第290頁。

---

13 太平紳士（Justice of the Peace）源於英國，由政府委任民間人士擔任維持社區安寧、防止非法刑罰及處理一些較簡單的法律程序的職銜。

妳選擇貓王模仿者

茜茜在貞恩身邊團團轉，調整她的裙襬。貞恩的父親對女兒伸出臂彎，她微笑著勾住。她在妳眼中美得難以置信。妳的喉嚨有點哽咽，但可能只是緊張。

茜茜跪在花童面前最後一次耳提面命。東京板著小臉，因為寵物鼠尤達貝被關進了教堂後方的籠子裡。巴黎開始哭，她剛才把整籃玫瑰花瓣倒在曼哈頓的頭上，但茜茜很快地從每個花童的籃子裡抓了一把花瓣把她的籃子補滿，危機解除，貓王也正好拿起他的吉他開始唱〈只有傻瓜才闖進來〉。接著該伴娘走上紅毯了。

妳必須承認，貓王證婚人到目前的表現都可圈可點，妳算是沒請錯人。這位替補的「神父」穿著貓王款電光藍色連身服，從頭到腳貼滿水鑽。頭髮梳得非常蓬鬆，戴著一副超大白色眼鏡。湯姆努力保持一臉正經，在他身邊的麥奇則是憋笑憋到發抖。

貞恩走上紅毯時才第一次見到貓王，她停下腳步瞟了妳一眼。如果眼神會殺人，妳大概已經被一刀斃命。妳做個嘴型：「對不起啦！」但一看到湯姆在聖壇前等她，她就轉成一臉笑意。

看著貞恩走向湯姆讓妳的心都融化了。不幸的是妳從此再也無法正眼看湯姆，因為總會想到他爸爸和彎曲的小弟弟。這種機率有多大？在全世界這麼多婚禮度假村的所有男人當中，妳決定用來嘗試首次一夜情的對象，竟然是妳最好朋友的未來公公。妳環視教堂內湯姆那一側的親友，他爸爸的光頭在人群中如此明顯，妳的小腹因為在床上的回憶而起了反應。他轉頭看著貞恩走過紅毯，接著發現了妳。穿著合身亞曼尼黑西裝、繫著黑色窄版領帶的他英俊迷人，正對妳露出微笑，讓妳的小腹再次不安分。

貓王一找到機會又唱了起來。他以歡樂版的〈溫柔愛我〉代替訓辭。貞恩的母親輕拍淚濕的雙頰時，他以歌曲方式唱出誓詞。

「如果任何人有理由反對這兩人結婚，請現在提出，否則請永遠保持緘默。」貓王低聲吟唱。

妳四下張望，屏氣凝神。但沒人出聲。

「……那麼，以『優雅園』賦予我的權力，我宣布你們為丈夫與啦啦啦……妻子。你可以親吻新娘了。」

貓王將吉他挪到身前，唱了首輕快但不怎麼適合的〈你啥都不是，你只是條狗〉，下半身隨著猛搖起來。

多米諾夫婦連忙用手遮住孩子們的眼睛。

湯姆和貞恩攜手走下紅毯。妳鬆了口氣，每個人在這場婚禮中都毫髮無傷。現在，準備好開趴了嗎？

前往婚宴會場，請翻至第249頁。

婚宴的時刻到了

好像那件地獄來的伴娘禮服還不夠受罪似的，妳被安排與湯姆的查理伯伯同桌，他不只好色還很無趣，而且似乎在婚禮進行中就已經喝得醉醺醺了。茜茜擺明了就是在整妳，因為是妳害得神父無法證婚。茜茜，高招啊。

禮服裁縫試圖把妳的縫線放鬆些許，好讓妳可以平順地拉起拉鍊。但她對布料本身也束手無策，妳現在可以完全確定這塊布就是桌巾和餐巾的材料。妳的胸部被禮服的馬甲擠成爆奶，每次呼吸都有迸出來的危險。查理伯伯的眼光簡直離不開那兒，唯一能阻止妳不至於拿起香檳空瓶往他頭上砸的理由，就是妳不想引起騷動進而搞砸貞恩的大日子（妳睡了神父這件事已經闖了大禍）。還好他看起來差不多快醉昏了。

雖然妳看不到她的動作，但妳確定蘿倫阿姨一定在隔壁桌偷抽菸——不然那股飄過妳鼻尖的煙霧要怎麼解釋？妳也發現她的視線一直盯著麥奇以及湯姆的老爸。

即使妳的禮服和現場布置融為一體，外加查理伯伯那猥褻的目光以及二手菸，這場婚禮目前為止還是完美進行著。快門聲此起彼落、席間杯觥交錯、人們高談闊論，還有一位帥得要命的ＤＪ。

「禮服不賴啊！」

妳在座位上回身，麥奇在妳身旁彎下腰，將妳波濤洶湧的胸前春光盡收眼底。但妳滿腦子只有「猴子的小弟弟、猴子的小弟弟、猴子的小弟弟」。妳永遠無法再以同樣眼光正經看待這位確實沒有底線的醫生了。

「是我在幻想，還是這禮服真的和桌巾是一套的？餐巾也是？」他問。

「沒錯，你就是在幻想！」妳沒好氣。

「唔，但穿在妳身上還不賴。想跳舞嗎？」

這是個好機會讓妳能夠就近打量ＤＪ，妳欣然同意。但妳一踏上人滿為患的舞池地板立刻後悔，麥奇在妳面前旋轉，舞步就像是個有猴子小弟弟的男人會跳的那種。

妳試著忽略他，專心注視ＤＪ。他很特別，但不是那種自命不凡的潮人風格。他放的音樂也很棒，妳喜歡這首歌。那些恐怖的婚禮爛歌，例如：瑪卡蓮娜、雞舞或是江南Style都沒出現，光是這點妳就深深感激。更讚的是，他也還沒放出警察合唱團的〈妳的每次呼吸〉，這首歌每次都會讓妳想到跟蹤狂。他從ＤＪ台抬起頭，抓著耳機夾在耳朵和肩膀之間，對上妳的視線。他微微一笑，揮揮手，妳也回他一笑，暗自希望妳並不是被塞在這團醜禮服之中。

妳發覺湯姆的爸爸試著吸引妳的注意，但他逃不開蘿倫阿姨的五指山。

ＤＪ指指正像個瘋子般在妳身旁轉圈的麥奇，故意誇張地點頭表示讚許。麥奇舞得渾然忘我，沒注意到妳已經悄悄離開他。妳做個開槍斃了自己的手勢。ＤＪ仰頭大笑，妳立刻就想舔他的脖子，一個刺青從襯衫領口露了出來。

下一首曲子，妳、麥奇連同多米諾夫婦和小小多米諾們，圍成一個大圈。貞恩和湯姆也加入了，還有麗莎、布魯諾和凱特。妳在整個勾腳調情事件後就迴避著布魯諾，妳有更大的麻煩要處理。但他的視線一直追著妳，妳也沒辦法一輩子躲著他。你們必須好好談談。例如昨晚在陽台上他對妳的告白，以及為什麼他要在桌子底下與妳調情，明明女朋友同時還坐在身邊。絕對不是什麼好事，即使妳看過凱特和麗莎親熱。

妳也必須和麗莎談一談。如果那兩人之間有曖昧，她和凱特就欠了布魯諾一個說法。接著還有湯姆老爸那檔事，那位妳本來應該共度一夜之後就永遠不會再見面的飛行員。此時他正隔著整間擠滿你們雙方熟人的房間盯著妳看。所有事情在這麼短的時間內竟然都變得極端複雜。

一首新曲響起，是首慢歌。妳不悅地瞪了ＤＪ一眼，他抱歉似地聳聳肩。麥奇正準備把妳擁入懷中，一隻戴滿珠寶、手臂修長、穿著豹紋服的手拍拍他的肩。是蘿倫阿姨，她要不就是來扮演妳的救星，要不就是忽然想找個年輕的伴。她對麥奇露出最風情萬種的笑容。

「想跳舞嗎？」她問，聲音低沉沙啞。

「其實我正要……」麥奇指著妳。

「沒關係，我本來也不想跳這首。」妳說。

查理伯伯終於醉昏了，身體滑到妳的椅子上。妳改坐到隔壁桌，正在欣賞室內浪漫的燈光時，忽然發現妳是全場唯一沒去跳舞的人。每位單身的客人都正和舞伴們翩翩起舞。飛行員傑克和貞恩的母親在跳舞，麥奇被蘿倫阿姨栓在手中，布魯諾在舞池中央和小朋友們拌嘴，而麗莎上哪去了？和一位老是把妳獨自丟下的朋友一起參加婚禮有什麼好？

「嗯哼，打擾一下。」

拜託最好不要是噁心的查理伯伯從爛醉中醒了過來。

「妳願意賞臉與我共舞嗎？」是帥哥ＤＪ。他伸出手，妳偷偷在餐巾禮服上擦擦手心，任他帶妳走向舞池。

「我非常希望這不是同情之舞，因為我是唯一一個沒有舞伴的人。」妳說，享受著靠在他精瘦修長身軀上的感覺。

「妳瘋了嗎？我得賄賂貞恩的阿姨才能把伴郎從妳身邊拉開。」

妳開心大笑，決定不問她開出的條件是什麼，妳的胃忽然一緊，好像剛吞下一大口冰沙。

「事實上，我整個下午都在想，如果丟下DJ台不管，跑去請妳跳舞，會不會太失禮。我不想惹毛新娘子。」

「別擔心，我已經把她這週末發火的額度用光了，所以你很安全。」

他帶妳轉了一圈。「對了，這件禮服很性感。」他說。

「這就是在說謊了。」

「我看過更糟的。」

「才沒有吧！」

「妳說得對，是沒有。這件禮服看起來像是女神卡卡和家居品牌洛拉在布料店裡打了一架。我只是想表示禮貌。」

他再次帶妳轉了一圈，妳感覺像在空中漫舞。

「我最好還是回到DJ台去。謝謝妳陪我跳舞。我希望妳會再為我留一曲？」他一氣呵成地送妳回座位。

「我想那要看你播什麼歌。」

妳聽到敲麥克風的聲音。

是麥奇。「現在，大家等待的時刻終於來臨了！貞恩會丟出她的捧花。單身的小姐們麻煩請到舞池中央。」他說。

猴子的小弟弟、猴子的小弟弟、猴子的小弟弟，妳一邊想，一邊四處尋找麗莎的身影。做這件事不能沒有她在。謝天謝地，她正向妳走來，一臉惡作劇。

妳和麗莎加入其他女孩們。有些故意裝作不感興趣，有些則躍躍欲試，準備好要大展身手。妳和麗莎相互推擠，假裝這件事很重要。麗莎抬起後腳跟用手握住，像奧運選手一樣伸展筋骨。妳們雙雙大笑。

貞恩站在舞池邊一張椅子上，DJ播出一陣急促的鼓點。等鼓聲來到最高潮，貞恩雙手一放，捧花以慢動作飛過空中。

如果妳接到捧花，請翻至第255頁。

如果妳沒接到捧花，請翻至第277頁。

妳接到了捧花

妳知道習俗，接到捧花的人會是下一位新娘子，或是下一個找到伴上床的人。妳不介意測試一下習俗的後半段，尤其當妳的選單上還有那位帥ＤＪ。

麗莎站在妳身邊，雙手交抱在胸前。妳也做出同樣動作。

捧花一路以慢動作穿過空中，越過至少四排在妳前面的人。一個女人跳起來，伸出指尖用力把它撥了一圈。捧花偏離她的手，在空中對妳直撲而來。一切都發生得太快，妳沒時間移動腳步，捧花就這麼直直地掉入妳的懷中。

妳聽到鼓掌聲響起，身邊的人慢慢退開，在妳身邊圍成一個圈。妳恍然大悟，妳莫名其妙地接到了那該死的捧花！

「現在請各位單身男士集合。」麥奇說完，拋開麥克風，火速衝向舞池，幾乎撞倒現在已經清醒過來的查理伯伯，兩個人推擠著想搶個好位置。

緊握著那束捧花，妳走到舞池邊上看好戲。貞恩站在椅子上，燈光暗了下來，ＤＪ播放了一首經典脫衣舞配樂。男人們呼喊叫囂，看著湯姆撩起貞恩的裙襬，拉下她大腿上的吊襪帶。貞恩扶著湯姆的肩膀保持平衡，他把吊襪帶從她腿上脫掉，接著扶她下來，吻了她一下，隨後換他站上去，背對著聚集的賓客。他等了半晌，直到群眾開始爆出鼓譟，他便將吊襪帶向那群等待著的單身漢拋去。

如果是湯姆的爸爸接到了吊襪帶，請翻至第257頁。
如果是DJ接到了吊襪帶，請翻至第265頁。
如果是麥奇接到了吊襪帶，請翻至第272頁。

湯姆的爸爸接到了吊襪帶

妳看著吊襪帶飛過空中，就像是天注定，它輕巧地掉入飛行員的手中。他似乎根本沒打算去搶。

「這一定是開玩笑！」妳對麗莎說。

「這真是某種令人開心的前後呼應啊。這週末怎麼開始的就該怎麼結束。」麗莎說。

「妳好，陌生人。」湯姆的爸爸在妳耳邊低語，帶著妳走向舞池，接著把妳擁入懷中，進行禮貌性的捧花和吊襪帶得主以及新郎、新娘之慢舞。

「你也好，我們不能再這樣見面了。」妳輕聲說。

「是嗎？我但還滿喜歡這樣。」他說。

「我不敢相信你是湯姆的爸爸！」

「妳不認為妳該開始叫我傑克了嗎？」他強而有力的手掌抵著妳的後腰，輕鬆地領妳在舞池裡舞動。「此外，我們也該好好敘敘舊。」

妳不知該說什麼，妳從沒想過會再見到這個男人，他毀了妳的一夜情。

「我在想，婚禮結束後妳要怎麼回市區？」傑克問，拇指輕輕按摩妳的掌心。

「麗莎和我要去搭火車。」妳把空著的手從他的肩上滑到胸前，他把妳摟得更緊。

「真可惜。我本來想載妳一程。我是開私人飛機來的。」他輕鬆地說。

「飛機？」妳問。

「算是飛行員的特殊待遇吧。我明天要把飛機開回去給某位億萬富翁客戶。」

「帶上我吧！」

「麗莎不會介意？」

「我想她可以理解的。幾點起飛？」

「只要妳準備好了就可以。」他說，妳感覺他手掌的熱度燒灼著妳的脊椎。

「好，但出發前你要讓我先換下這件難看的禮服。我沒辦法穿著它上飛機。」

「都聽妳的，或者……」

「或者？」妳問。

「或者我們先上飛機，然後我再幫妳脫下來。」他呢喃道。

去他的一夜情，妳準備要享受第二夜了。

「好吧，我有好消息也有壞消息。」傑克說。「壞消息是我們還要兩個小時才能起飛，因為目的地起霧。」

「好消息呢？」妳不敢相信這真的發生了，妳坐在私人飛機裡，只有妳和傑克。好啦，雖然飛機還在地面上，但妳也不會拒絕他帶妳參觀駕駛艙的提議。

「好消息是我們還要兩個小時才能起飛。如果妳願意，可以幫我做一些起飛前的檢查。」

「告訴我怎麼做吧。副駕駛在此任你差遣。」妳向他敬個禮。

「好極了。唔，很簡單。從現在起，妳只要每件事都聽命於機長就可以。」

「每件事？」

「正是如此。這可是攸關性命。」他說。

「所以起飛前檢查需要做些什麼？」妳問。

「嗯，首先我需要確認妳脫掉這件禮服。它是易燃物。」

「遵命，機長！」妳在窄小的駕駛艙內轉身，讓他幫妳拉下拉鍊，就像電影中演的一樣。他照做了，但拉鍊竟然卡住，他完全拉不動。

你們大笑起來。

「我們需要更大的空間。」他說。他打開駕駛艙門，妳走進座艙，地方不大但很奢華。有個桃木做成的酒吧，四張又大又寬的座椅，以及一個大螢幕電視。

「現在我們從哪裡接下去？」他的手指來到妳背上，拉扯著頑固的拉鍊。

「把這鬼東西撕了吧。」妳說。

妳聽到布料撕裂聲，接著傑克把禮服從妳肩上脫下，整件掉在地上。他將妳轉向他，妳在禮服底下沒穿胸罩，所以全身現在只剩下底褲和高跟鞋。他看了妳好半晌，輕輕「哇」了一聲，接著吻上了妳的唇。

吻他的感覺好熟悉，卻又有種新鮮感。妳幾乎忘了你們的唇如此相合。這次他刮了鬍子，記憶中的鬍碴已蕩然無存。他的手滑下妳的背，妳拉出他的襯衫，以便將手指從下襬探入，撫上他光裸的胸膛。

「我們可能會碰到一些亂流。」他說。

「我需要就定位嗎，機長？」妳的嗓音因慾望而粗啞。

「妳可能要坐穩，準備迎接降落時的顛簸。」他鬆開領帶，接著從頭上一把拉掉襯衫，完全不理那些鈕釦，好幾顆就這樣彈飛到座艙內。

妳往下吻他的胸前，輕咬一側的乳頭。接著解開他的腰帶和褲襠鈕釦，任由褲子滑落在地上。他踏出褲堆，脫下鞋襪。妳從四角底褲中釋放出他已然飽脹並輕輕彈動的硬挺，當妳握住它，那種熟悉的弧度再次出現，它正向左側彎曲。

「妳應該會很高興聽到，我這次準備得比較充分了。」他說。趁他走向棄置的外套口袋中找東西時，妳爬上其中一張奢華的皮椅。柔軟皮革和肌膚相觸的感覺如此迷人，妳的身體滿載著慾望，等著他回來。

他從座艙另一側走出來，雙手拿著香檳和杯子，嘴裡咬著一個還沒拆封的保險套。

「香檳？」他咬著保險套說，把杯子遞給妳。他全身只穿著四角底褲，站在妳面前打開酒塞。香檳在杯內滋滋作響，滿了出來，濺了一些到妳胸前。

「等等，別動，我來處理。」他把酒瓶和保險套放在小桌上，蹲跪在妳腿間，接著緩緩把妳胸口的香檳酒舔掉。妳往後躺，因歡愉而低喊，他炙熱的舌頭先舔過一側乳尖，再去到另一側，接著舔拭妳的乳溝。

「真抱歉，我太粗魯了。缺乏練習啊。」他舔去妳胸前最後一滴酒。

「等等，我想你漏了一個地方。」

「哪裡？」

「這裡。」妳指著肋骨附近一個位置，就在胸部下緣。

「哦？我真是太粗心了，讓我立刻挽救一下。」他說，以誇張的姿勢靠向前，舔著妳手指的位置。「怎麼樣？」他問。

「很棒，但這裡也漏了一滴。」妳指著自己已經變得高聳硬挺的乳尖。

他咧開嘴，再次低下頭，這次不再舔拭了，改用嘴含住整個乳尖，一手捧著妳的乳房，另一手在妳胸前以兩指轉扭著另一側的乳尖。

「還有這裡。」當他終於抬起頭，妳低語，指著自己的底褲。

「噢，我的老天，妳濕透了。」他啞聲說，嘴往下移到妳的腿間。「我沒想到會灑出來這麼多。我最好想個辦法解決。」

妳雙手按著他的頭，任他狠狠地隔著底褲舔吸妳，妳感覺到自己泛出更多濕意。妳抬起臀部讓他脫掉妳的底褲，接著埋頭鑽入妳的私處，剛開始輕輕啄咬，接著含住妳的唇瓣開始吸吮。妳在椅子內蠕動，但還不想這麼快高潮，所以經過了狂喜的幾分鐘後，妳拉開他的頭，喃喃說著要他停下來。

傑克站起身，拉著妳的手讓妳站起來，再次把妳擁入懷中。你們親吻著，妳可以感覺那美妙微彎的硬挺擠壓著妳。妳伸手到被遺忘的香檳旁拿起保險套，從包裝袋裡拿出來，接著雙手並用地幫他戴上。

他把妳轉個圈，他的身子抵著妳的背，同時用牙齒和舌頭逗弄妳的脖子，雙手往下移到妳胸前，把玩著妳的胸部和乳尖。接著他一手再探向下，越過妳的小腹，覆上妳的小丘，用數根手指在妳的小縫來回撫弄，最後用一指探入妳的私處。妳呻吟出聲，他又探入另一指，慢慢地來回抽送，掌心按壓著妳的小丘，逗弄著妳的小蒂，但就是不直接碰觸它。

「上我吧。」妳呢喃，想要轉過身來。

「等一下，保持這樣，相信我。」他說。

妳更加往前傾，兩手撐在皮椅椅背保持平衡，雙腿分開。他彎曲的硬挺正緊貼著妳，接著由後方進入妳體內。妳挪動身體配合他的尺寸和形狀，他緩緩推進，雙手扶著妳的臀部。妳在他首次衝刺時忍不住呻吟，他深入妳體內，一種截然不同又新鮮的體驗。妳感覺到他堅硬的頂端刷過妳的敏感點。一定是因為微彎的角度，使得他能夠觸碰到那無從捉摸的部位，每次衝刺都在妳全身上下帶來強烈的快感。

妳忍不住哭喊出聲，使他更加瘋狂地猛烈抽送。妳同樣向後頂著他，直到快感太過強烈，交合也太過狂暴，令妳幾乎無法承受為止。

他卻退後一步，滑出妳體內，妳失望地低吟。他繞過妳身邊坐上皮質躺椅，接著把妳拉向他，讓妳跨坐在他身上，背對著他的胸膛。

妳太濕了，他輕輕鬆鬆就從後方滑進去。現在騎著他的人是妳，妳夾著他的大腿坐穩，控制著他每次衝刺撞擊妳甜蜜點的力度，愈來愈深，愈來愈強。

妳已瀕臨爆發邊緣，以一連串快速的抽搐用力夾緊他，哭喊著到達頂峰，妳的私處一次次不斷收縮著。他抖動身子，大吼出聲，在妳體內達到高潮。

妳向後躺在他胸前，傑克把椅背放到最低，同時魔法般地變出一條毯子，妳感覺周邊的世界已不存在。妳蜷縮在他身邊，回味在妳血管內如蜜般四處流竄的餘韻。

「我希望妳享受這次飛行。」他在妳耳邊呢喃，將一綹髮絲撩向耳後。「這樣妳就會再次選擇搭乘本航空。」他低頭看著已經又微微昂揚的勃起。「我預計十五分鐘後起飛。」

「收到，機長。」妳笑得心滿意足。

（全書完）

ＤＪ接到了吊襪帶

湯姆顯然不知道自己的力量有多大。他往後拋出吊襪帶，它直直越過底下那些互相推擠的單身漢高舉的手，結果掉在ＤＪ台中央，ＤＪ沙林傑一臉驚訝。

他撈起吊襪帶，用手指勾著它。有人開始鼓掌，更多人隨即加入。

正要開始切蛋糕時，ＤＪ來到妳這一桌。

「你參加過的婚禮一定比我多。這是什麼意思？」妳問，指指他的吊襪帶，隨後又指向自己的捧花。

「這表示我們兩個必須結婚。」他回答。

「哈哈。才不是！」

「如果妳去查查文獻，就會知道這是真的。」

妳一時語塞，只好藉著喝一口紅酒來拖延時間。奇怪，妳嘴裡吃進一樣東西。妳漱了一下，試著想弄清楚那是什麼，但仍保持端莊的表情。

「媽咪！」東京或是天不吐或是托雷多大哭。「我找不到尤達貝的領結！」

喔，不妙。不可能吧。妳輕輕用舌頭測試了一下那東西。感覺確實很像那隻嚙齒類動物弄丟的飾品。

妳反射性地將它和一口酒一起吐了出來，恰好直直噴在ＤＪ的胸口，潑得他白色襯衫前襟一身都是。

「搞什麼鬼？」他大嚷，整個人往後跳。

妳從來沒這麼糗過。但妳看到一張濕透的紙片貼在他弄髒的襯衫上，大大地鬆了口氣。還好那個異物只是派對拉炮的碎屑。「對不起。我以為我差點就要把老鼠的領結吞下去。」妳對他說。

他盯著妳看了好一會，好像妳已經徹底精神錯亂，接著你們同時爆出大笑。

「噢，老天，就算花一輩子也解釋不清，而且我會丟臉至死。」妳說，試圖讓自己恢復自制。「我們不要再研究我出糗的事實了，去洗你的襯衫如何？如果不能把污漬洗掉，我會很在意。」

「我真的很抱歉！」妳站在浴室的雙洗手檯前方，用飯店提供的香皂搓洗頑固的紅酒污漬。

「請別再道歉了。我其實挺佩服妳的。通常我才是那個絞盡腦汁用俏皮話把美眉騙回房間然後脫她襯衫的人，現在這樣剛好相反。」

「我通常也不會邀請半裸男人進房間，但這次的狀況情有可原。」

妳放水浸濕襯衫，移到另一個水槽。即使老鼠尤達貝的婚禮配飾和妳的嘴毫無關聯，妳還是有點想吐。妳一邊刷牙一邊從鏡子裡打量正隨意靠在沐浴間門邊的ＤＪ。現在他打著赤膊，妳不但可以欣賞他精雕細琢般的手臂肌肉，還可以看見纏繞其上的黑色刺青。

「你有名字嗎，ＤＪ先生？」妳邊用毛巾擦嘴邊問。

「我叫ＪＤ。」他說。

「真的嗎？」

他點頭。

「ＤＪＪＤ？」

「妳呢？我總得知道該把洗衣店帳單寄給誰。」他說。

妳告訴他妳的名字，接著又刷了一次牙。等妳刷完，ＪＤ走到妳身邊的洗手檯側，盯著鏡中的妳看，手臂擦過妳的手。這一刻古怪中帶著親密，而且不是只有鏡子正在冒出蒸蒸霧氣。

「好多了？」他問。

「應該吧。」妳說，用舌頭舔過一遍變得乾淨又閃亮的牙齒。

「或許我也可以幫忙評斷一下？」他提議。

他轉過妳的臉，輕柔地吻妳的唇，妳的臉頰如火般熱燙，心跳砰砰作響。妳感覺他的舌頭掠過妳唇邊，妳微微張開嘴。他舌間的灼熱被妳口中清新的牙膏味冷卻了下來。

妳伸臂環抱住他，當一吻既終，他的手也摟上了妳的腰，將妳拉得更近。

「嗯，薄荷清香。」他的手更往下，將妳抬起來放在兩個水槽的中間。有什麼東西掉到地上打碎了，但無所謂，因為他又再次吻妳，這回妳的雙手得以盡情撫摸他赤裸的手臂和胸肌，以及小小硬硬的乳尖。

他的手漫遊在妳的肩頸之處，一手隔著禮服撫摸妳的胸部，布料很挺，妳感覺不到他的手指，令人氣餒。妳往後靠著鏡子，垂下雙手，在肘骨撞到水龍頭時發出一聲咒罵。

「我知道耍酷的傢伙都會從浴室裡面開始，但妳介不介意我們老派一點，把派對移到臥室裡進行？」JD說。

「我還以為你不會開口問呢！梳子正頂著我的屁股，而且位置不太好。」

你們站在床邊，再次親吻，妳貼著他緩緩晃動臀部。他試著解開妳禮服上的鈕釦，但它們動也不動。妳無奈地想起，妳之前用了大量安全別針好讓馬甲不會在每次呼吸時爆開。

JD放棄妳的禮服前襟，改為拉背後的拉鍊，卻發現那兒也卡住了。妳簡直就像被黏在這件該死的禮服裡面！

ＪＤ大笑，癱坐到身後的床上。妳急著想讓他的手撫遍妳全身，但這件禮服一點幫助也沒有。

「等一下。」妳鑽進行李箱內翻找。「把這件鬼東西給我剪開，我求你！」妳拿出一把備用剪刀遞給他。

「妳確定？」他問。

「當然！」妳躺在床上，他跪在妳身邊，舉起剪刀對準妳的裙襬。

「真的確定？」他又問一次。

「該死的確定！」

妳感到他的手來到妳的腳踝，輕輕分開妳的雙腿，接著慢慢從妳腿部上方的裙襬開始剪，流暢地使用著剪刀。妳只能聽見彼此沉重的呼吸聲以及剪刀喀擦喀擦的聲音，清涼的刀片絞剪著厚重的布料，一路沿著妳的腿往上移。

他愈移愈高，將妳的腿分得更開，剪刀隨著他的手移動，他的舌頭也隨之加入。他一邊剪，妳的禮服一邊滑開，在身邊皺成一堆。他來到妳的雙腿根部時放慢動作，接著用鼻子、牙齒和嘴唇磨蹭妳的大腿內側。他用手指撩撥妳，妳呻吟一聲，腿張得更開，他得以接觸到妳目前極力想要他觸碰的身體部位。

他勾起妳底褲的布料，往上拉扯，妳感覺冰涼的剪刀抵著妳的小丘，他正在同時剪開妳的底褲以及禮服，在妳的恥骨上方將底褲剪成碎片。隨後他沿著鈕釦終於剪開了妳的馬甲，妳坐起來協助他脫下妳的袖子，妳已全身赤裸，總算從那一團厚重的布料中解放出來，現在是肌膚相親的時候了。

妳只花了幾秒就脫去他的褲子，一手急切地將他釋放，另一手捧著他的囊袋輕輕按摩。他用膝蓋頂開妳的雙腿，妳濕潤的下體觸碰到他的大腿，摩擦的感覺如此美好，妳在他身側扭個不停。

妳告訴他妳會馬上回來，接著衝進浴室從盥洗包裡拿出一個保險套，對著泡在水槽裡的髒襯衫揚起嘴角，接著回到他身邊。

妳頓了一秒，欣賞眼前的美景，他的刺青從手臂蜿蜒到胸前，暗黑的勃起高高聳立。妳爬向他，為他套上保險套，接著用嘴把它拉到底。嗯哼，即使他的小弟弟不夠長，但絕對夠粗。

他讓妳躺在床上，身子往下移到妳腿間。妳感到他的勃起已抵在妳的小穴入口，隨後他沉身挺入，熾熱又有力。能被他填滿的感覺真好，令人感到安慰，隨著他的衝刺，妳咬住他的肩膀。他每次都幾乎完全退出妳的體內，接著又猛力挺入，讓妳瘋狂地想要再次被充滿。

妳伸手往下以拇指和食指在他的底端畫圈，輕輕捏擠以便在他衝刺時增加壓力。妳的腿緊緊夾著他，腳踝交叉，挪動臀部讓他進入得更深，接下來妳的腦袋變成了一片空白。妳的高潮來臨，下體不停夾著他，持續收縮，他繼續挺入，調整妳的臀部配合他的動作，直到妳感覺他在妳身邊顫抖，肌肉一瞬間繃得死緊，直到完全釋放。

妳從床腳拉過一條毛毯蓋住自己赤裸疲累的身子，一邊描著他手上的歌德風圖騰。

「看來接到吊襪帶還有不少額外好處。」他在妳耳邊呢喃，妳陷入美妙無比的甜夢中。

（全書完）

麥奇接到了吊襪帶

正當吊襪帶就要穩穩落入布魯諾的手中，麥奇突然撲過來搶。救死扶傷、躲避稅務員和極限攀爬運動確實讓他練出忍者般的好身手。發現東西就在自己鼻子底下被搶走，布魯諾臉色一黑，妳感覺有點不忍，但同時也鬆了口氣。妳從昨晚婚宴彩排那勾腳調情事件之後，就一直躲著他，習俗上來說，接到捧花的人要和接到吊襪帶的人共舞一曲。所以儘管妳對猴子男不是很滿意，至少妳可以躲布魯諾躲久一點。

這週末真是讓妳對他刮目相看，他長成了一個好男人，貼心、風趣、仁慈，甚至可愛。但他是和凱特一起來的，他一直對妳充滿興趣，這點讓妳很困擾。

然後還有凱特和麗莎這件事。妳很擔心，如果最後妳還是得和布魯諾談開，妳就必須告訴他這整個週末在他背後發生了什麼事。不，還是躲著他比較簡單。說到躲著人……麥奇故意大步走向妳，一臉得意洋洋。

「嘿，美人。」他諂媚地說，手裡勾著吊襪帶。「看看我拿到了什麼。」

舞池的燈光暗了下來，符合氣氛的浪漫舞曲響起。

「我可以與妳共舞一曲嗎？」他問。

「恐怕不行耶。」妳草草拒絕。哪個混蛋伴郎會在婚禮前兩夜和伴娘親熱？

他毫不氣餒。「沒關係，我懂——妳害怕會忍不住對我上下其手。」

「對啦，就是這樣。」妳的聲音毫無溫度。越過麥奇的肩膀，妳看到布魯諾走了過來，似乎有話要說。「我改變主意了。」妳投入麥奇的懷抱，推著他走進舞池。

「慢慢來嘛。我就知道妳無法抗拒終結者麥奇！」他說，八爪魚似的手臂纏上妳。沒兩秒妳就發現他一手伸向了妳的臀部。妳手繞到背後把它撥掉，卻感覺它立刻又吸了回來。

樂曲結束的那一秒鐘，妳馬上離開麥奇的懷抱，轉身離開舞池，卻發現妳的去路被滿臉堅決的布魯諾擋住了。他還沒來得及開口，妳立刻又勾住了麥奇的脖子。「再跳一首！」妳對他喊。

麥奇狂笑，把妳摟得超緊，再次走回舞池。當他開始帶妳轉圈，妳感覺有人拍妳的肩膀。妳轉頭，希望不是布魯諾。謝天謝地，是凱特。

「介意我搶人嗎？」她問。

「當然不會。」妳退開一步，有點納悶。「他是妳的了。」

「別爭喔，小姐們，我的愛絕對足夠遍及每個人。」麥奇開心地對妳們敞開懷抱。

「不是他，是妳。」凱特盯著妳的眼睛。

妳嚥了一下口水，嘴裡立刻發乾。她會有什麼事情要找妳？妳對看到她和麗莎在一起感覺怪不可言。萬一她發現布魯諾一直在打量妳怎麼辦？

妳還來不及弄清楚發生了什麼事，已經在和凱特跳舞了。她比妳高些，而且帶舞的動作很優雅，伴著喇叭裡傳來的慢舞樂曲領著妳旋過舞池。和女人跳舞感覺好奇怪，尤其是在和猴子男跳過舞後。她的手意想不到地嬌小。

「妳該死的以為自己在做什麼？」一等妳們在舞池中開始旋轉，凱特便嘶聲對妳說。

「沒有啊！什麼都沒有發生，我發誓！」

「唔，我不懂為什麼沒有，他是個很稀有的好男人。」凱特說。

「等一下，我們在說誰啊？」

「當然是布魯諾。妳看不出來他對妳多麼著迷？」

「但妳和他明明是……」

凱特哈哈大笑。「布魯諾和我，一對？我們是多年老友了，無論如何，我不是那一掛的。我只是陪他來，省得他媽媽又要追著他碎唸為什麼還是孤家寡人，她有時候是滿煩的。但我告訴妳，如果我被掰直了，布魯諾絕對會是我的首選。」

「妳是說妳對男人沒興趣？」

「沒。」

「噢，謝謝老天！這解釋了妳和麗莎的事。有一晚我看到妳們在洗衣房裡。」

「哦，是嗎？」她咯咯笑。「唔，那只是小菜一碟。幸好妳沒看到我們在撞球桌、避暑小屋或是三溫暖的時候。」

「我一直以為妳和布魯諾是一對，所以我一直躲著他。」

「我注意到了！」凱特說，帶著妳轉一圈，隨著她的動作，妳看到布魯諾走到旁邊盯著妳看，臉上帶著焦慮。妳的心一揪，妳對那可憐的傢伙太狠心了。

「我知道這其實不關我的事，但妳可以幫我個忙，給他一個機會？他徹底為妳神魂顛倒，妳卻可能搞得更糟。」凱特向麥奇的方向偏了偏頭，後者正站在舞池邊瞅著妳和凱特，比著一些下流的手勢。

「我想我可以做到。」妳說，慢慢展現出一個期待的微笑。

凱特離妳而去，妳發現自己正一個人傻站在舞池中間。但並未孤單太久。鎖著妳的視線，布魯諾慢慢走過來，向妳伸出手。當掌心交疊時，妳感到一股微弱的興奮，接著他將妳拉向他。

「終於。」他在妳耳邊低語。

「終於。」妳回應他，聲音發顫。

妳把臉貼著他，聞著他的味道，他的體溫熨貼著妳的身子。這就是眾裡尋他千百度，那人卻一直在燈火闌珊處嗎？

接著他吻了妳，妳隨即明白了，沒錯，這就是天注定。

（全書完）

妳沒接到捧花

女孩們擠成一團，捧花飛過空中。妳僅僅花了一秒就看出它正朝著麗莎而去。她一臉驚恐，好像將要接到的是手榴彈而不是一束以緞帶紮起的白色雛菊、玫瑰和滿天星。

麗莎向妳投來懇求的一瞥，妳不假思索地付諸行動。妳將她一把推開，跨前一步想搶下捧花，從這裡開始一切都變成了慢動作畫面。

這看起來一定像是妳推開麗莎好讓自己搶到捧花。但妳沒時間去深思這樣有多難看，因為妳的頭和另一個女人的頭狠狠撞在一起，對方正像NBA職籃選手般飛身跳向空中。

撞擊的疼痛來得又快又劇烈。誰會想得到人類的頭殼其實是用水泥做的？

妳眨眨眼，緩緩睜開眼睛。妳的頭劇痛無比。剛開始是從頭骨下方，後來擴及到整個頭部。

妳往上看，只看到一團細綿布，妳正躺在一張四柱大床上。那闖禍的捧花被扔回妳身邊。接著妳看到飛行員的臉孔出現在眼前。是湯姆的老爸，傑克。

「怎麼回事？」妳低語。

「妳為了搶新娘捧花在混亂中跌倒，撞到了頭。妳現在在新娘房裡。每個人都在樓下送新郎、新娘離開。我說我要來照顧妳。」

「我沒事吧？」妳啞聲問。

「嗯，酒店請了醫生過來看，她說妳沒什麼事，只是有點輕微的腦震盪。暫時不要抬重物或者爭搶新娘捧花。」

妳現在想起來了，妳記得有位滿臉皺紋的女人用筆型手電筒照妳的眼睛，幫妳量脈搏。傑克扶妳坐起來，墊了些枕頭在妳背後，接著遞給妳一杯水。妳嗚嗚啜泣，為自己感到難過。這是什麼結束婚禮的鬼方式！

「哪裡痛嗎？」傑克擔憂地蹙起雙眉。

「這裡。」妳指著前額。

傑克靠過來，輕輕吻著妳指的地方。

「還有這裡。」妳摸摸眼睛。

傑克再次靠過來，輕吻妳的眼皮。

「以及這裡。」妳碰著唇瓣，嘴角揚起。

傑克回妳一笑，接著又靠過來，小心翼翼地吻著妳的唇，好像妳是陶瓷做的。他同時展現出熱情和溫柔，妳閉上眼睛，陶醉在他的吻裡，享受他的舌頭在妳口中的感覺，手臂緊摟住妳。妳的眼底冒出燦爛耀眼的星星，這次卻不是因為撞到頭引起的。

（全書完）

妳選擇了太平紳士

妳站在教堂後方，等著貞恩出現，同時往紅毯那邊望，打量這位太平紳士。妳確定貞恩會喜歡他的。他非常適合這份工作，穿著整齊海軍藍套裝，冷靜自若，帶著溫暖的微笑。在發生這麼多事情之後，當然不會再有什麼狀況出現了吧。對嗎？

如果婚禮結束得順利又美滿，請翻至第281頁。

如果婚禮結束得不怎麼平順，請翻至第285頁。

婚禮結束得順利又美滿

這是妳想像中最完美的婚禮了。每件事都進行得順順利利，茜茜幾乎要驕傲得像貓般打起呼嚕。

賓客們全都盛裝出席，戴著從華麗到荒謬等等不同類型的帽子。蘿倫阿姨以亮粉紅色虎紋寬邊帽搭配看起來像大龍蝦的東西拔得頭籌。

在弦樂四重奏和一位穿著紫色塔夫綢禮服的金髮女高音演唱巴哈「耶穌是我們仰望的喜悅」的樂聲中，貞恩挽著父親的手臂緩緩步上紅毯，成為全場矚目的焦點。當她走到祭檯前與湯姆會合，他激動得幾乎要窒息了。陽光透過彩繪玻璃映照進來，將她那件精緻的復古禮服映得像寶石般燦爛耀眼。

連一本正經地拎著裝了有機玫瑰花瓣籃子的小花童們都表現得可圈可點，四周的賓客紛紛發出「啊啊啊」的驚嘆。

太平紳士絕對是正確的選擇，彬彬有禮又妙語如珠。

妳有點哽咽，看著自己最好的朋友光彩照人地站在湯姆身邊。宣告他們成為丈夫與妻子時，唱詩班忽然唱起「哈利路亞大合唱」，反映著妳的心情。

隨著新婚夫妻和賓客離開教堂，數百隻白色蝴蝶被釋放出來。這是茜茜精心設計的橋段，蝴蝶振翅飛向晴朗的藍天，代表著希望和蛻變。

而奇蹟中的奇蹟就是，裁縫師似乎放寬了一些縫線，即使妳的禮服還是很緊，至少不至於讓妳出醜。

婚宴也順利結束，六層高的摩卡榛果蛋糕是妳吃過最美味的結婚蛋糕。而且，茜茜接到了新娘捧花，這為她的勝利之日錦上添花。

現在妳站在車道上，想到那溫馨風趣的致詞就忍不住泛起笑意（甚至連麥奇的伴郎致詞都將幽默和情感拿捏得恰到好處），你們向湯姆和貞恩揮手告別，他們決定直接去度蜜月，而不想在新娘房裡過夜。黃昏的太陽映照著湖上的粼粼波光，為它漆上了金色的線條，隨著新人的銀色勞斯萊斯老爺車緩緩離去，天鵝也振翅飛起，大聲表達祝賀。

妳惆悵地輕嘆。妳最好的朋友剛剛結婚了！有人來到妳身邊。是布魯諾，夕陽將他的身影勾出了金邊，直到現在妳才驚訝地發現，妳完全沒注意到他其實長得多英俊。他對妳微笑，眼神深邃溫柔，他牽起妳的手，指尖揉著妳的手指。「妳覺得我們也來創造屬於自己的美好結局如何？」他問。

妳正準備回答他，麥奇悄悄挪近妳身邊。「來杯酒向新婚夫婦致敬吧？」

妳看一眼布魯諾。「有何不可？」他說。

妳一開始先意識到現在還是大清早。接著妳又意識到自己出現在新娘房裡。第三件意識到的事情是到處都躺著人。半裸的人。

妳坐起來，用迷茫的雙眼打量房內四周。蘿倫阿姨和茜茜半個身子藏在床下，雙雙不省人事，手裡還抓著香檳的空瓶。

麗莎、湯姆的爸爸和凱特則躺在彼此的臂彎中，睡在地毯上，旁邊是被清空的迷你酒吧。櫃檯人員和ＤＪ，兩人竟然都穿著伴娘禮服，正十指交握地躺在陽台上打鼾。

然後……蜷在電視櫃旁邊的是布魯諾嗎？沒錯。他的屁股底下壓著什麼東西。一個看起來很像是穿著潛水裝備的動感超人玩偶的東西。

妳挪動雙腿下床，試著站穩腳步。哇啊！妳往浴室內瞄一眼，看到一個男人睡在浴缸裡，全身一絲不掛，只戴了頂安全帽。妳不太確定，但看起來很像是麥奇。

妳用床單裹好自己，跌跌撞撞地走向走廊。滿地都是亂丟的香檳空瓶和五彩紙花，清潔車上有塊吃了一半的結婚蛋糕，老鼠尤達貝正在開心地大快朵頤。

慢慢地，妳開始回想起前一晚的事情。在你們大家向貞恩和湯姆揮手道別後，麥奇搬來幾瓶他某次旅行從非洲帶回來的烈酒，你們全都喝了些，事情就從那時開始一發不可收拾。

你們跳舞（茜茜一度跳上主桌展示她的舞步），接著有人建議大家排成一列，邊跳康加舞邊回到新娘房去。然後……

哇噢。妳真的……？那怎麼會……？這在解剖學上真的有可能嗎？

妳回到自己的房間，走進沐浴間，對自己微微一笑。

多難忘的一夜。

多難忘的婚禮。

每個人的結局都很圓滿。

（全書完）

婚禮結束得不怎麼平順

感覺像是從貞恩踏上紅毯那一秒就開始，妳緊張得大氣也不敢出。茜茜使出渾身解數，將教堂布置得美輪美奐。貞恩對妳選的證婚人似乎也很滿意，妳尚未遭到她或茜茜的白眼。經過和迪蘭神父那場慘案後，妳不顧一切地想要讓婚禮能夠順順利利。

「……你，湯姆，願意接受貞恩為你的合法妻子嗎？」太平紳士以美妙的低音吟誦著。

湯姆緊握住貞恩的雙手。「我願意。」他說。

一關過了，還有一關。妳快要解脫了。

「而妳，貞恩，願意接受湯姆為妳的合法丈夫嗎？」

妳相信自己的心一度停止跳動，如果貞恩臨陣脫逃的症狀再次發作，下一秒整件事就會搞砸。

「我……我……」貞恩滿眼含淚。

腎上腺素在妳體內奔竄。

「我願意。」她終於說出口。噢，謝天謝地。太平紳士隨即說出那永恆的名句：「你可以親吻新娘了。」妳也終於呼出一口長氣。除了一些驚悚片段，看來每件事最後都圓滿落幕。

但妳仍不免提心吊膽，畢竟還有婚宴要進行呢。

拍了大概一百萬張照片後，所有的隨從和賓客陸續進入精心布置的禮堂參加婚宴。香檳開瓶聲此起彼落，端著開胃菜的侍者列隊出現。在主菜（酥皮包芥菜鮭魚佐奶汁烤娃娃菜）上完之後就是致詞的時間了。

首先貞恩的父親說了一段催淚的致詞，接著湯姆起身舉杯答謝伴娘。妳並不期待麥奇的致詞，但除了一些關於天鵝和神父的黃色笑話之外，倒也不像妳想像的那麼低級。婚禮之神肯定正俯首對妳微笑。

輪到貞恩了。妳幫她挑了首艾蜜莉·狄金森的美麗小詩，很適合這個時刻，妳也很期待聽她朗誦。妳對她鼓勵地笑笑。她看起來真是緊張得不得了。

她清清喉嚨。「我必須先說……那個……」

呃喔。這和排練的不一樣。

「我吻了麥奇！」她突然說。

全場震驚，鴉雀無聲。湯姆臉色刷白。麥奇的臉更是毫無血色。妳的指甲緊緊掐入掌心，力氣大到幾乎快流血了。

「湯姆……那是場意外，」貞恩哽咽。「那不代表什麼！我發誓，你一定要相信我！」

「湯姆，兄弟！我也發誓那真的沒什麼。我當時昏了頭。」麥奇聲明，一張俊臉寫滿了恐慌。

湯姆略略思索了一會，接著站起來，一拳揮向麥奇，後者從椅子上滾下來，一直沒爬起身，顯然已經昏了過去。妳大為刮目相看，誰知道湯姆還有這一手？

貞恩認真地哭了起來。「湯姆，對不起，這是我這輩子犯下最大的錯誤。我愛你。我想和你在一起，永遠永遠。請你原諒我！你是我最好的朋友，我必須把事實告訴你！」

妳屏氣凝神等待著，湯姆繼續不發一語。只有蘿倫阿姨掀開打火機的聲音打破了室內的寂靜。

「貞恩……」他開口，「我也愛妳。」他擁她入懷。「我原諒妳，我必須這麼做。沒有妳的人生不值得活下去。」隨著他們緊緊相擁，屋內爆出歡呼，每個人都開心鼓掌。

妳癱坐在椅子裡，猛喝一口香檳。又躲過一顆子彈。妳注意到麥奇站了起來，一手揉著下巴，沿著牆邊走向門口。妳心想，這傢伙不在比較好。感覺像是每個人，除了麥奇之外，最後都有個幸福美滿的結局。

ＤＪ播放出第一支舞的曲子，湯姆和貞恩滑入屋內中央，凝視著彼此的雙眼。這是一首情歌，但不知為什麼背景老有一些雜音。一陣嗡嗡的低音——是喇叭的回音嗎？接著妳聽到一陣轟隆隆的怒吼，摻雜著低頻的嗡嗡聲。人們開始東張西望，愈來愈多人聽見那奇怪的聲音。

下一分鐘，一隻大公牛撞破落地窗衝進屋內，噴著鼻息，拱起背脊，就好像身在西班牙奔牛節舉辦地潘普洛納。擋著它去路的甜點檯、酒吧、DJ台幾乎全被摧毀，無一倖免。

湯姆把貞恩帶到了安全地帶，但其他人全都嚇得無法移動或尖叫。摔碎的酒瓶、餐具、音響器材發出的噪音似乎永無休止。DJ毫髮無傷，一語不發地從遇難現場站了起來，那隻發狂的動物正試圖跳過結婚蛋糕，但牠的角勾到一條桌巾，惡作劇似地擋住它一邊視線。牠戲劇性十足地又撞破了另一扇關閉的落地窗，從紛飛的碎玻璃中衝了出去。

「啊呀，湯姆，」布魯諾打破驚慌後的寂靜說，「是你的病人在客訴嗎？你是否不小心闖錯了動物？」

沒有人受傷，雖然蛋糕頂層不見了，但至少沒有倒。緊接在公牛之後是大隊天鵝。牠們像衝鋒隊員一樣雄赳赳氣昂昂地通過婚宴現場。這是妳第一次發現在犀利的小眼睛和蛇形的脖子陪襯下，牠們看起來就像是一群生氣的鳥。

麥奇在門邊徘徊，明顯發現這是個挽救聲譽的好機會。「嘎！」他對著牠們揮動雙手。「滾出去，你們這些亂竄的鴨子。」天鵝隊伍裡的首領（用一群來描述好像太溫和了）打量著他，接著猛衝向他的膝蓋。麥奇跌倒了，又一次，並且痛得大吼。天鵝們激動地嘶叫，到處張望找尋下一個犧牲者。賓客們匆忙躲回椅子後面，多米諾夫婦把小孩全趕到桌子底下，但他們的尖叫聲是出自於開心而非害怕。

天鵝們搖搖擺擺地穿過屋內，左右張望的樣子像是多疑的監獄囚犯。有幾隻甚至大剌剌地停下腳步在地毯上休息，之後才沿著公牛的路線離開。

於此同時，背景的嗡嗡聲已轉為喧鬧的蜂鳴，公牛和天鵝的驚恐其來有自，一群蜜蜂像火箭般衝入室內。此時人們已開始爭先恐後地往出口擠。幸運的是，蜜蜂對人類沒什麼興趣，牠們成團撲向蛋糕，爬得滿滿都是。原來的白色糖霜一瞬間變成黑色，蜜蜂群正在狼吞虎嚥那甜蜜的好滋味。

妳和多米諾夫婦撈起孩子們和老鼠籠，加入人群往陽台上奔逃。受驚的賓客滿地亂竄，鼓譟得比蜜蜂還大聲。除了麥奇，他正蹣跚地走向停車場，還有些倒楣的傢伙被叮了幾下，其他人都毫髮無傷。

貞恩戲劇化地指著茜茜，後者正驚慌地喃喃自語。「這都是妳的錯！」貞恩大吼。「我想要巧克力的結婚蛋糕，但是妳當時說，不不不，那太俗氣了，時尚潮人這一季都吃蜂蜜果仁口味。現在妳看看！」

蘿倫阿姨那華麗搶眼的帽子從一張翻倒的桌子後小心翼翼地冒出來。「各位親愛的，鳥和蜜蜂出現有什麼好奇怪的。這畢竟是一場婚禮呀！」

（全書完）

妳選了心靈導師當證婚人

貞恩走進禮堂，她轉頭對妳比了個ＯＫ的手勢。妳緊張地回她一笑。那位心靈導師證婚人從這邊看過去，平凡到令人放心。妳原本以為會看到一大堆珠串和羽毛，但他大概快五十歲了，穿著深色長褲和那種飄逸的白襯衫，不用說，一定是在環保木製織布機上織成的。貞恩站得不夠近，沒注意到那圓盤狀的大耳環、兩側袖口處隱約露出的刺青，以及皮繩項鍊上掛的小巧子孫娘娘塑像。

風琴開始演奏，多米諾家的孩子們先行走上紅毯，接著是茜茜和妳，妳一路憋著氣，以免呼吸害得胸部從禮服中蹦出來，最後是貞恩和她的父親。一定要順順利利，妳想，非得圓滿才行。

貞恩走向湯姆，他的臉上洋溢著快樂，妳心裡充滿希望。妳真的相信他們會平安幸福。

婚禮繼續進行中，妳放鬆下來。事實上整個儀式過程還算愉快，幾首精選的詩很精采。妳也許可以逃過一劫。

「你，嗯哼……再告訴我一次你的名字？」證婚人問。

「湯姆。」湯姆回答。

「啊，對。你，湯姆，願意接受這個女人……」

「貞恩。」貞恩說。

「……貞恩，為你的合法妻子？」

茜茜狠狠瞪了妳一眼，妳回她一笑。嘿，沒有人是完美的。

「你們可以互相親吻以定盟約了。」證婚人說。

他們親吻，正當妳以為一切告一段落，每件事都平安順遂時，心靈導師忽然發表最後一段致詞。

「兩個靈魂的結合是一種神祕的事。兩種無法獨立存在的元素，一同為熱情之火添加能量。就像氧氣之於火焰。」接著他拿出一根長棍和一個瓶子。一股刺鼻的煤油味飄了出來。大家還來不及阻止他，他就點燃了長棍的兩端，立刻冒出火苗。

賓客發出讚嘆又興奮的鼓譟，貞恩和湯姆十指交握，從火焰旁退開一步，敬畏地看著它。

接下來，證婚人用手指旋轉著火把，就像軍樂隊指揮，然後將著火的一端放進嘴裡，舔著火苗。他戲劇性十足地吞下了火焰。

賓客開始鼓掌歡呼，發出一片讚嘆。他再次旋轉火把，將熄滅的一側重新點燃，火光熊熊，茜茜拉長了臉往後退。

「看吧，這沒問題的啦！我打賭這裡絕對沒人參加過這樣的婚禮！」妳告訴她。

上師將火把拿在胸前，先含了一大口石蠟油，接著往火把上吹，一個大火球飛離火把往紅毯處滾去。但茜茜絕對不會遺漏任何細節，連那個方位都有許多和妳禮服同樣材質的美麗緞帶，精心繫綁在每排座位的底端。幾秒之內，那易燃的布料瞬間著火。

賓客們驚慌失措，尖叫著互相推擠想逃離座位，上師打翻了他的石蠟油，在乾燥古老的木地板上流了一地。有個小火星飛了過去。

大家爭先恐後地奪門而出。妳抓著茜茜，湯姆把貞恩護在身後。

大夥終於平安地來到戶外，毫髮無傷，但在草地上因驚恐而擠成一團，看著火苗吞噬著彩繪玻璃窗。

「我敢打賭，絕對沒人參加過這樣的婚禮！」茜茜在妳耳邊大吼。

湯姆前來解救妳。「事實上，茜茜，這也不是什麼壞事。妳下半輩子不都會牢牢記住這一天嗎？哪個傢伙會忘記這一切啊？」

妳感激地對他一笑。

「不管這些了，我們要去度蜜月啦！」貞恩拉著湯姆走向等待著的禮車，後車窗上歪七扭八地寫著「新婚誌喜」，保險桿上拖著一堆用線綁住的鋁罐。每個人都歡呼著揮手送他們離開。

警笛聲愈來愈響，救火車轟轟地開進了車道，在燃燒的小教堂前緊急煞車。一群健壯的消防員跳下車來展開行動，使妳眼前一亮，妳從未見過如此大陣仗的救星成群出現。他們一定受過特殊救火訓練。即使穿著防火制服，妳眼裡還是能看到飽滿的肌肉。

他們以熟練自如的動作解開水帶，開始對準窗戶。

「請退後，女士！」一位帥哥對妳喊。他是在對妳眨眼嗎？妳回他一個傻笑，卻聽到耳邊傳來一把聲音：「他已經結婚了，有兩個小小孩。」

是布魯諾。妳目瞪口呆地看他。「你怎麼知道？」

「我從來沒見過他。我只是在用我的超強念力把所有強大的對手消除掉。」

妳咯咯發笑，布魯諾環住妳的肩膀。妳靠在他懷中，感覺真好。他的唇擦過妳的臉頰，一股無法忽視的輕顫竄下妳的脊椎。

正當消防員奮力和彈跳的水帶角力，以完美的和諧動作來回忙碌時，蘿倫阿姨突然出現在妳身邊，一身華麗的豹紋裝配上搶眼的帽子。「親愛的，多有趣啊。我參加過有煙火表演的婚禮，但沒有一場像今天這樣。」她對著一位經過她身邊的壯漢消防員舔了舔唇。「我就是喜歡圓滿好結局。」

（全書完）

只想和姊妹小酌一番，卻不幸落單的夜晚，是否會碰上真命天子，度過最熾熱的一夜？更多精采情節就在《愛的69種玩法III：微醺》！

感謝

我們非常感謝每一位對本書女主角及她的冒險展現出信心的人。清單首位是我們的超級英雄經紀人歐利．曼森和那些神仙教母們，珍妮佛．卡斯特和赫琳．費瑞，AM希斯文學經紀的大家，每次都帶來好消息給我們。鄭重感謝每一位曾擁抱本系列的出版商，尤其是蔓普莉特．葛雷沃和她在Sphere出版社的團隊（利托，布朗）、亞曼達．博吉隆和威廉．摩若（Harper Collins出版社）的團隊，以及傑若米．波蕊和他在Jonathan Ball出版社的同事。我們知道還有編輯、翻譯、設計師、封面設計、排版人員以及來自二十個不同國家許許多多的人，一起讓這個系列更迷人。謝謝你們大家。

謝謝Old Swan and Minster Mill的安珀．德沙瓦莉，還有其他婚禮企畫及聯絡人，帶我們參觀那浪漫的場地，並和我們分享他們的故事。

還要深深感謝以下給予我們實際和道德層面上忠告、建議和支持的各位：甘蒂絲、卡洛、查理、伊迪絲、詹姆士、凱茜、蘿倫、莉索、蘿絲瑪莉、莎凡娜、史提夫和湯姆。祝你們的保險套永遠耐用。

暢／小說
054

愛的69種玩法II
抉擇

原著書名：A Girl Walks into a Wedding • 作者：海倫娜・佩姬 Helena S. Paige • 翻譯：朱立雅 • 美術設計：黃鳳君 • 協力編輯：林婉華 • 責任編輯：徐凡 • 主編：巫維珍 • 副總經理：陳瀅如 • 編輯總監：劉麗真 • 總經理：陳逸瑛 • 發行人：凃玉雲 • 出版社：麥田出版／城邦文化事業股份有限公司／104台北市中山區民生東路二段141號5樓／電話：(02) 25007696／傳真：(02) 25001966 • 發行：英屬蓋曼群島商家庭傳媒股份有限公司城邦分公司／台北市中山區民生東路二段141號11樓／書虫客戶服務專線：(02) 25007718；25007719／24小時傳真服務：(02) 25001990；25001991／讀者服務信箱：service@readingclub.com.tw／劃撥帳號：19863813／戶名：書虫股份有限公司 • 香港發行所：城邦（香港）出版集團有限公司／香港灣仔駱克道東超商業中心1樓／電話：(852) 25086231／傳真：(852) 25789337／E-mail：hkcite@biznetvigator.com • 馬新發行所／城邦（馬新）出版集團【Cite (M) Sdn Bhd／41, Jalan Radin Anum, Bandar Baru Sri Petaling, 57000 Kuala Lumpur, Malaysia.／電話：(603) 90578822／傳真：(603) 90576622 • 印刷：漾格科技股份有限公司 • 2015年（民104）2月初版 • 定價340元

國家圖書館出版品預行編目資料

愛的69種玩法II：抉擇／海倫娜・佩姬 Helena S. Paige著；朱立雅譯. -- 初版. -- 臺北市：麥田出版：家庭傳媒城邦分公司發行, 民104.02
面；　公分. --（Hit暢小說；RQ7054）

譯自：A Girl Walks into a Wedding

ISBN 978-986-344-195-3（平裝）

873.57　　103027717

城邦讀書花園
www.cite.com.tw